afgeschreven

Project Vergeten Oorlog
Dit boek maakt deel uit van het project *Vergeten Oorlog*. In het kader van dit project verschijnen zes jeugdboeken. De boeken gaan allemaal over onderwerpen waaraan tot nu toe weinig of geen aandacht is besteed in jeugdboeken: het bombardement van Rotterdam en Middelburg; Sinti en Roma; dwangarbeid; kinderen van 'foute' ouders; en de Tweede Wereldoorlog in Suriname. De verhalen uit de bundel *Vergeten oorlog* spelen zich af in landen waar nieuwe Nederlanders vandaan komen: Kroatië, Rusland, Marokko, Nederlands-Indië, Ethiopië, Suriname, China, Polen, Aruba en Irak.

www.vergetenoorlog.nl
www.leopold.nl

Als symbool voor het project Vergeten Oorlog
dient de koffer, het voorwerp waarmee
miljoenen tijdens de oorlog onderweg
waren, naar de kampen en op de vlucht.

Kijk ook op: www.nmkampvught.nl

Oorlog in de klas

Copyright © Theo Engelen 2010

Omslagontwerp Annemieke Groenhuijzen

Foto's omslag: Beeldbank WO2, ANP-Photo.com

Beeld binnenwerk: Beeldbank WO2 - Nederlands Instituut voor Oorlogsdocumentatie

De teksten op pagina 36, 46, 58, 80, 90 en 100 zijn afkomstig uit de collectie van het Joods Historisch Museum. De tekst op pagina 70 is afkomstig uit het archief van *Trouw*. De teksten op pagina 108 en 118 zijn afkomstig uit het archief van *Het Parool*.

Uitgeverij Leopold bv, Amsterdam

NUR 283 / ISBN 978 90 258 5540 6

Dit boek is mede tot stand gekomen door een subsidie van het ministerie van VWS, Eenheid Oorlogsgetroffenen en Herinnering WO II.

Vergeten oorlog is een project van de Schrijvers van de Ronde Tafel in samenwerking met Stichting Cubiss en Uitgeverij Leopold.

De Schrijvers van de Ronde Tafel worden ondersteund door de Stichting Jaap ter Haar.

Uitgeverij Leopold drukt haar boeken op papier met het FSC-keurmerk. Zo helpen we waardevolle oerbossen te behouden.

Theo Engelen

Oorlog in de klas

 Leopold / Amsterdam

BUITENGEWONE OPROEPING.

ALGEMEENE MOBILISATIE.

De Burgemeester van *Borne*
roept, in opdracht van de Regeering, op om zich met spoed in werkelijken dienst te begeven:

29 Augustus 1939.

Bij de Landmacht en bij de Zeemacht:

de niet in werkelijken dienst zijnde gewone dienstplichtigen, die behooren tot één der lichtingen 1924 tot en met 1939.

en voorts al het niet in werkelijken dienst zijnde reserve-personeel van land- en zeemacht, alle niet in werkelijken dienst zijnde vrijwilligers (voor wat betreft den Vrijwilligen landstorm alleen de vrijwilligers van 18 jaar en ouder) en het voor de gemobiliseerde weermacht bestemde burgerpersoneel.

EERSTE MOBILISATIEDAG:

Degenen, die om eenigerlei reden niet in het bezit zijn van een lastgeving (zie zakboekje), zijn VERPLICHT zich te wenden tot den Burgemeester van de gemeente, waarin zij woonachtig zijn of, indien zulks niet mogelijk is, tot den Burgemeester der gemeente, waarin zij verblijven.

De aandacht wordt er op gevestigd, dat deze „Openbare kennisgeving" rechtens voldoende is en derhalve dengene, die niet aan deze oproeping voldoet, in verzuim stelt.

Borne, den *28 Augustus* 19*39*

De Burgemeester voornoemd,

Augustus 1939

'Binnen een paar maanden is het oorlog.'

Opeens werd het doodstil in het bos. Alleen de vogels flo-ten onverstoorbaar door omdat ze blij waren met deze mooie zomerdag op de Vughtse heide. Simon, Roos en Peter lieten de takken uit hun handen vallen en keken stomverbaasd naar Lex.

'Wat zeg je?' vroeg Roos ongelovig.

Lex haalde zijn schouders op. 'Dat we snel in oorlog zul-len zijn. Volgens mijn vader tenminste.' Hij was even ver-baasd over zijn opmerking als zijn vrienden. Sinds hij zijn ouders gisteravond had horen praten, spookte de zin door zijn hoofd. En nu had hij het eruit geflapt voor hij erover had kunnen nadenken. 'Doet er ook niet toe. Werk nou maar door, anders komt die hut nooit af voor de avond.'

Roos sloeg haar armen over elkaar en keek Lex uitdagend aan. Haar blauwe ogen waren opeens zo donker dat ze wel zwart leken. 'Mijn vader denkt dat het wel los zal lopen. Die Hitler blaast wel hoog van de toren, maar hij is bang voor de Fransen en de Engelsen. Je weet toch dat blaffende honden niet bijten.'

Opeens begreep Lex de uitdrukking over het afbijten van je tong. Als hij zijn mond had gehouden, zouden ze nu nog rus-tig doorwerken aan hun hut en dat was wat hij wilde. Als je hier zo rustig met je vrienden aan een hut werkte kon er toch geen oorlog komen? En nu had hij het zelf bedorven met die stomme opmerking. Er was geen weg terug. Wat eenmaal ge-zegd is, kan niet teruggenomen worden. Simon bijvoorbeeld, was aangestoken door de felle toon van zijn zus. Zijn ogen schoten opeens vuur. 'Roos heeft gelijk,' zei hij. 'Jouw vader is toch geen helderziende? Hoe kan hij dan weten wat er gaat gebeuren? Iedereen laat zich bang maken door die schreeuwlelijk in Berlijn.'

Lex knikte. 'Jullie hebben vast gelijk.'

Dat zei hij alleen maar om Simon en Roos te kalmeren. Zelf dacht hij dat zijn vader gelijk had. En Roos en Simon waren alleen maar zo boos omdat ze dat ook wisten. Sinds een maand woonde een broer van hun moeder met zijn vrouw en kinderen bij hen in. Gevlucht uit Duitsland. Dat hadden ze niet voor niets gedaan. Die schreeuwlelijk was kennelijk gevaarlijker dan veel mensen wilden toegeven.

Zoals altijd was Peter de vredestichter in het gezelschap. Anders dan Simon luisterde Peter meer dan hij praatte. Pas als hij zeker wist wat hij wilde zeggen, kwam er een woord over zijn lippen. 'Waar winden jullie je zo over op?' vroeg hij. 'Niemand weet wat er gaat gebeuren en het heeft geen zin als wij er ook nog ruzie over krijgen. Dat kunnen de volwassenen uitstekend zonder onze hulp.' De zaak was daarmee voor hem afgedaan. Hij stak zijn schop weer in de grond. 'Nou, hoe zit het? Moet ik het alleen doen?'

Lex keek vragend naar Roos. Die haalde haar schouders op. Haar gezicht ontspande en meteen brak er weer een glimlach door. 'Peter heeft natuurlijk gelijk,' zei ze.

'Peter heeft altijd het laatste woord,' mokte Simon.

'We weten al lang dat hij nu eenmaal de verstandigste van ons vieren is,' zei Roos. Ze sloeg haar broer op de rug. 'Werken, jij.'

Binnen een uur hadden ze een kuil van een meter diep gegraven. Het ding was twee bij twee meter groot en toen de laatste grond was weggeschept, waren ze alle vier doodop. Gelukkig konden ze even uitrusten in de schaduw van de grote beukenbomen. Ze aten hun boterhammen en dronken van het meegenomen water. De ruzie van zo-even was al weer vergeten.

Lex bekeek zijn vrienden en glimlachte. Vanaf de eerste klas van de lagere school waren ze al bevriend. Over een week zouden ze beginnen aan de zesde klas en niets kon hen uit elkaar drijven.

Nee, komend jaar nog niet, maar het jaar daarna, als ze naar de middelbare school gingen? Was hun vriendschap ook daartegen bestand? En toen was dat sombere gevoel er opeens weer dat hem sinds gisteravond bedrukte. 'Kom op, luilakken,' riep hij en hij sprong op.

Zijn voorbeeld werkte. Roos en Simon braken de dunne stammetjes van jonge berken op maat en sloegen die naast elkaar in de grond. Peter was de langste van hun vieren en zelfs hij moest rechtop kunnen staan.

Ze waren binnen de kortste keren allemaal nat van het zweet, maar de stemming leed er niet onder.

Zelfs Lex voelde zich weer vrolijk. De planken die hij uit het tuinschuurtje van zijn vader had meegenomen, vormden de eerste laag van het dak. Ze dekten het geheel af met takken.

Alleen als je heel dichtbij kwam, zou je kunnen zien dat er hier een hut gebouwd was. En wie kwam er nu in dit afgelegen stuk bos? Je moest al tien minuten lopen vanaf het pad om er te komen.

Aan het einde van de middag leek hun hut niet meer te zijn dan een stapel takken in het bos.

Hun fietsen stonden bij een boom naast het pad. Het hele stuk vanaf de hut was Roos stil geweest. Toen ze zich over haar fiets boog om het slot te openen begon ze opeens te snikken. Binnen de kortste keren liepen de tranen over haar wangen.

'Wat is er met jou?' vroeg Lex geschrokken. 'Het was zo'n leuke dag.'

'Dat is het hem juist,' zei Roos. 'Ik weet niet of ik hier nog vaak met jullie kan komen.'

'Waarom dan niet?'

'Mijn moeder zegt dat...' De rest ging verloren in een nieuwe aanval van verdriet.

Simon nam het van haar over. 'Onze moeder vindt Roos te oud om nog de hele dag met jongens rond te hangen. Ze is er al een tijdje over bezig, maar gisteravond heeft ze gezegd dat als Roos niet zelf verstandig wordt, zij zal ingrijpen.'

Voor de tweede keer deze middag was de stemming grondig bedorven. Lex moest toegeven dat ook hij zich de laatste maanden steeds meer bewust was geworden van Roos. Vroeger was ze gewoon een van hen. Nu begon ze vrouwelijke vormen te krijgen en als hij haar toevallig aanraakte was er iets...

'Wat een flauwekul,' zei hij. 'We zijn toch al jaren vrienden?'

'Dat heb ik ook gezegd.' Roos snoot haar neus. 'Mijn oom is erover begonnen toen hij een tijdje bij ons was. In elk geval is het mijn moeder nu echt menens.'

'Leuk, zo'n oom,' zei Lex. Hij stond met zijn fiets in de hand en keek hulpeloos om zich heen. 'Stuur hem maar terug naar Duitsland.'

Simon schudde zijn hoofd. 'Je weet niet wat je zegt. Weet je wel wat er daar met Joden gebeurt? Ze zijn niet voor niets gevlucht.'

'Laat-ie dan blij zijn dat hij veilig is en zich niet met onze zaken bemoeien. Wij laten hem toch ook met rust?' Lex was niet te vermurwen dit keer. Als ze aan zijn vriendenclub kwamen, werd hij boos.

Peter kuchte. 'Ik zie het probleem ook niet, maar eerlijk gezegd...'

'Eerlijk gezegd is het flauwekul,' vulde Lex snel aan.

'Dat wilde ik niet zeggen,' ging Peter onverstoorbaar door. 'Wat ik wilde zeggen was dat ik geen enkel meisje van Roos'

8

leeftijd ken dat nog met jongens optrekt. Ik begrijp best dat haar ouders het een beetje raar vinden.'

'En toch is het niet eerlijk,' zei Lex. 'Wij horen gewoon al jaren bij elkaar. Wat doet het er nu toe dat Roos een meisje is? Ik zie het verschil niet.'

Roos glimlachte door haar tranen heen. 'Dan heb je een bril nodig, Lex. Je weet heel goed dat ik een meisje ben en dat jullie jongens zijn. Daar gaat het ook niet om. Waar het om gaat is of ik dan niet met jullie mag spelen. Die volwassenen met hun rare regeltjes.' Ze duwde haar fiets het pad op. 'Nou, zullen we dan maar? Anders krijgen we weer op onze kop omdat we te laat zijn.'

Net voor ze de rand van het bos bereikten schoot een grote zwarte kat vlak voor hen over het pad. Ze dook met een sprong in het dichte struikgewas aan de andere kant. Meteen volgde een angstig gepiep van vogels. Twee merels vlogen in paniek weg, luid kwetterend over het onrecht dat hun werd aangedaan.

'Rotkat,' riep Roos. Ze sprong van haar fiets en volgde het dier.

Voor de drie jongens doorhadden wat er gebeurde, zagen ze hoe het groen hun vriendin opslokte. Al snel klonk er een verwensing uit de struiken. Ze keken elkaar lachend aan. Roos was weer de oude.

'Kan iemand me misschien even helpen?' riep ze. 'Mijn jurk zit vast aan de doornen van een of andere struik.'

Lex zag hoe Simon en Peter besluiteloos bleven staan. Hij zette zijn fiets tegen die van Roos en verdween ook in de struiken.

Roos keek hem ongelukkig aan, aan alle kanten vastgehouden door de doornen van een grote bramenstruik.

'Waarom kijk je ook niet uit!' zei Lex. Hij maakte een voor

een de takken los. 'Zelfs een blinde kan zien dat je niet midden door deze struik kunt lopen. Vooruit, hier kun je langs.' Hij hield de struik opzij.

'Wat ben je toch een knorrepot. Maar wel lief. Dank je,' zei Roos. Ze pakte hem even bij zijn arm en keek hem stralend aan.

Op datzelfde moment besefte Lex dat Roos' oom gelijk had. Het vreemde lichte gevoel in zijn buik was het bewijs. Hoe graag ze het ook anders wilden, Roos werd steeds vrouwelijker en hij... 'Ga jij nu maar snel vogels redden,' zei hij met een rood hoofd.

'Wat is er daar aan de hand?' Simon werd ongeduldig zo te horen.

'Ik heb Roos bevrijd en nu gaat zij een vogel bevrijden, geloof ik,' riep Lex terug. Hij wilde zich niet laten zien voor zijn gezicht weer een normale kleur had.

De volgende kreet van Roos was zo hard dat Lex schrok. Hij hoorde hoe Peter en Simon hun fietsen plompverloren uit hun handen lieten vallen en ook de struiken indoken. Hij leidde hen in de richting van de kreet.

Ze vonden Roos op haar knieën op de grond. Ze had een hand voor haar mond geslagen van ontzetting en wees op het bundeltje veren op de grond.

Deze merel was niet snel genoeg geweest. Hij lag trillend op de grond. Een van de vleugels was gebroken en hing in een rare bocht aan zijn lichaam. De kat had de buik van het diertje opengehaald zodat alleen nog een bloederige brij te zien was. De snavel ging open en dicht, maar er kwam geen geluid meer uit.

'Wat moeten we doen?' vroeg Simon met een benepen stemmetje.

Peter had aan een blik genoeg. 'Begraven. Je ziet toch zo dat dit diertje niet meer te redden is.'

Lex slikte. 'Hoezo begraven? Die vogel leeft nog.'

'Dat zal niet lang meer duren.'

'Te lang,' zei Simon. 'Je ziet toch hoe die vogel lijdt. We moeten niet langer wachten en hem doodmaken.'

Simon had natuurlijk gelijk, maar Peter en Lex stonden er onbeholpen bij. Alles goed en wel, maar een vogel doodmaken, hoe deed je dat? En als ze al wisten hoe het moest, durfden ze dat wel?

Roos had al die tijd niets gezegd en verslagen naar het hoopje ellende voor haar gekeken. Nu pakte ze het vogeltje heel voorzichtig op en hield het in haar linkerhand. Met haar rechterhand streek ze zachtjes de veren recht.

Nog steeds probeerde de trillende merel geluid te maken, maar de snavel ging tevergeefs open en dicht.

Roos streelde nu het kopje. En toen, met een plotselinge beweging, draaide ze de kop van de vogel helemaal naar de andere kant. Meteen hield het trillen op. Even voorzichtig als ze de vogel had opgetild, legde ze hem weer terug op de grond. Haar gezicht was krijtwit.

'Zo, jullie mogen hem begraven,' zei ze kortaf en ze liep langs de jongens door naar haar fiets.

Toen ze vijf minuten later ook weer op het pad kwamen, was Roos verdwenen. In de verte zag Lex nog net het rood van haar jurk. Ze fietste alsof de duivel haar op de hielen zat.

Twee dagen later troffen Lex en Peter elkaar voor het saaiste uur van de week.

De zondagse mis om tien uur was verplichte kost. Samen met de andere parochianen vulden ze de St. Petruskerk met gekuch en gemompel tot een bel de komst van de pastoor en het begin van de mis aankondigde.

Lex keek naar de schilderingen op de muur. Het waren afbeeldingen van gruwelijkheden die je in het gewone leven gelukkig nooit meemaakte, maar de Bijbel stond er kennelijk vol mee. De zon scheen door de glas-in-loodramen en projecteerde groteske figuren op de muur aan de andere kant. Lex vouwde zijn handen en probeerde te bidden. Soms lukte het hem werkelijk om zich van zijn omgeving af te sluiten en een praatje met God te maken. Vandaag niet. Hij benijdde Roos en Simon die ergens buiten speelden.

De pastoor preekte over de oorlogsdreiging en riep hen op te bidden voor vrede. Kon je tegenwoordig dan nergens meer komen zonder herinnerd te worden aan ellende? Hij zag aan de ernstige gezichten van zijn ouders dat ook zij zich zorgen maakten over de toekomst. Ergens voor hem moest Peter zitten, ook bij zijn ouders. Ze mochten niet bij elkaar zitten. Na één keer was het wel duidelijk geweest dat de jongens dan werden afgeleid en de mis verstoorden.

Bij de laatste zegen haalde Lex opgelucht adem. Hij moest nog even wachten tot de priester verdwenen was en stormde toen naar buiten.

Peter volgde een paar seconden later. Ook zijn gezicht stond opgelucht. 'Gaan we vanmiddag naar het bos?' vroeg hij.

Lex schudde zijn hoofd. 'We gaan mijn oma opzoeken.'

'Bof jij even!' zei Peter spottend.

Ze wisten alle twee hoe deze familiemiddagen verliepen. Voor de ouders was het gezellig. Ze troffen broers en zussen en naarmate de middag vorderde, werden ze steeds luidruchtiger. Kinderen moesten vooral stil zijn, netjes antwoorden als hun iets gevraagd werd en geen kabaal maken. Lex keek somber voor zich uit.

'Wat hebben die met elkaar te bespreken?' vroeg Peter.

Pas nu zag Lex dat zijn ouders in druk gesprek gewikkeld waren met meneer en mevrouw Van Grinsven, de ouders van Peter. Anders knikten ze elkaar hooguit vriendelijk gedag.

Zijn moeder voerde het woord. Hij zag haar hoofd heftig op en neer bewegen. Zijn vader was zeker tien centimeter kleiner en stond er wat verlegen bij, zijn zomerhoed in de hand. Dat hij ambtenaar was, kon je op honderd meter afstand van hem aflezen.

Peters vader luisterde vol aandacht, terwijl hij met een vinger het strakke boordje van zijn hemd openhield. Het was inderdaad heel warm, zelfs voor deze bouwvakker die dagelijks buiten werkte. Met een wit kanten zakdoekje veegde mevrouw Van Grinsven haar voorhoofd en neus droog.

Lex pakte Peter bij een arm om dichter bij hun ouders te gaan staan. Dat gesprek ging vast over hen. De toon van zijn moeders stem beviel hem niet. Zo klonk ze alleen als ze volledig overtuigd was van haar gelijk. Elke tegenwerping leidde dan tot een forse woordenwisseling. Zijn vader had die strijd al lang geleden opgegeven.

Meneer Van Grinsven had kennelijk gewacht op een moment stilte in de woordenstroom. 'Dus als ik het goed begrijp,' zei hij snel, 'wilt u uw zoon verbieden nog langer met Roos en Simon de Vries om te gaan?'

'Begrijp ons goed,' zei Lex' vader. 'Het gaat niet...'

'Ja,' zei Lex' moeder. 'Dat heeft u goed begrepen.'

Mevrouw Van Grinsven haalde nog een keer het zakdoekje over haar voorhoofd. 'Die kinderen zijn al jaren bevriend en het gaat uitstekend. Zijn er ooit problemen geweest?'

'Nog niet.' Lex' moeder bekeek de andere vrouw alsof het een onnozel kind was. Maar ze wilde het best nog wel een keer uitleggen.

'De tijden veranderen en het wordt tijd dat we inzien dat we nogal naïef zijn geweest. U heeft toch vast ook wel gelezen over de kwalijke rol die Joden gespeeld hebben de afgelopen jaren.'

'Gelooft u de praatjes die in Duitse kranten verschijnen?'

vroeg Peters vader ongelovig. 'Dat is toch je reinste flauwe-kul.'

'Niet alleen in Duitse kranten. In *Volk en Vaderland* is er ook uitvoerig over bericht.'

Fout antwoord, dacht Lex. Hij wist dat meneer Van Grins-ven niets ophad met de NSB en regelmatig de spot dreef met hun leider Anton Mussert.

'Ja, als het in *Volk en Vaderland* staat, is het zeker waar.' Het sarcasme droop van de stem van Peters vader.

Lex' moeder trok haar neus op. 'Veel Nederlanders geloven inderdaad wat er in die krant staat. Dat zijn mensen die zien hoe de vlag erbij hangt. Wie weet wordt de NSB bij de volgen-de verkiezingen de grootste partij. Moet je dan eens zien hoe iedereen bijdraait. U misschien ook, meneer Van Grinsven.'

Aan het gezicht van meneer Van Grinsven was te zien dat hij het betwijfelde. Hij keek nadrukkelijk op zijn horloge.

Zijn vrouw nam het van hem over. 'Nog even over de kinde-ren. Waar bent u nu precies bang voor?'

'Het zijn en blijven Joden. Ze zijn niet te vertrouwen. Heb-ben jullie gezien dat er nog een ander stel is komen inwonen? Gevlucht uit Duitsland. Wie weet wat die op hun kerfstok hebben. En dat loopt zomaar rond in ons dorp.'

'Waar heeft u het toch over, mevrouw?' Van Grinsvens gezicht stond steeds bozer. 'De familie De Vries is een keu-rige familie die al jaren in Vught woont en nooit aanleiding heeft gegeven tot kritiek. En voor zover ik kan zien, zijn die familieleden ook een aanwinst voor ons dorp. Het is je reinste stemmingmakerij. Wat ons betreft mag Peter met Roos en Si-mon spelen zolang hij dat zelf wil.' Van Grinsven draaide zich naar zijn vrouw. 'Kom, we moeten gaan.'

'Heeft u wel eens van raszuiverheid gehoord?' Lex' moeder keek erbij alsof ze het over een heel vies onderwerp had.

'Ja,' zei Van Grinsven, 'en meestal wordt dat woord ge-

14

bruikt door bange mensen die te weinig verstand hebben.'

'U kunt niet zeggen dat ik u niet gewaarschuwd heb.'

'Inderdaad. Goedemorgen.' Van Grinsven pakte zijn vrouw bij de arm en liep weg.

'Sukkels.'

Lex hoorde het venijn in zijn moeders stem. Ze liep de andere kant op en zette haar voeten zo hard neer dat het leek alsof ze de klinkers de grond in wilde stampen. Zijn vader volgde met een ongelukkig gezicht. Het middageten zou vast erg gezellig worden.

Het gesprek bij de kerk kreeg een onverwacht gevolg. Tegen het vallen van de avond was Lex met zijn ouders teruggekomen van het familiebezoek. Omdat het vakantie was mocht hij nog even weg. Van pure opluchting rende hij het hele stuk naar Peters huis. Zoals gewoonlijk stormde hij door de achterdeur naar binnen. De familie Van Grinsven zat aan tafel en keek verschrikt op.

'Sorry,' zei Lex. 'Ik dacht... Ik kom later wel terug.'

'Niet nodig, Lex. Kom er even bij zitten.' Peters vader maakte een uitnodigend gebaar naar de lege stoel. 'Ik had me toch al voorgenomen even met je te praten.'

Lex ging aarzelend zitten. Zijn uitgelaten stemming was verdwenen want het ernstige gezicht van meneer Van Grinsven sprak boekdelen. Hij keek opzij naar Peter. Dat hielp ook niet.

Peter keek hem even ongemakkelijk aan en keek toen weer voor zich.

'Heb je vanochtend gehoord waar jouw ouders en wij over spraken?' vroeg Peters vader.

Lex knikte alleen maar. Zijn moeder werd bedankt!

Peters vader keek hem onderzoekend aan. 'In dit huis denken wij anders dan jouw ouders doen. Kijk, dat ze lid zijn van de NSB moeten zij weten. Het is een foute club, maar zolang ze zich aan de democratische regels houden is er niets aan de hand. Maar die praatjes over Joden, dat kan echt niet.'

Het was de man ernst, zag Lex. Zijn gezicht werd rood van woede. 'Alle mensen zijn gelijk en wie dat ontkent, krijgt met mij te maken.'

Waarschijnlijk had Peters moeder gezien hoe angstig Lex keek, want ze kwam snel tussenbeide. 'Je kunt Lex niet aanrekenen wat zijn ouders denken,' zei ze sussend.

'Nee, natuurlijk niet. Daarom wil ik even met hem praten. Ik wil wel eens weten hoe hij over die dingen denkt.'

Lex zag dat drie paar ogen hem afwachtend aankeken. Wat kon hij in vredesnaam zeggen? 'Roos en Simon zijn onze vrienden,' zei hij ten slotte.

'Joodse vrienden,' zei Van Grinsven.

'Nee, gewoon vrienden. Wat interesseert het mij nou of ze Joods zijn.' Lex voelde langzaam de ergernis bovenkomen. Die volwassenen maakten ook overal een probleem van. 'Eerst mag Roos niet meer met ons spelen omdat ze een meisje is en dan beginnen mijn ouders hierover. Waarom laten jullie ons niet gewoon met rust? Wij hebben geen problemen met elkaar.'

Van Grinsven knikte. 'Je hebt gelijk, jongen, maar ik moest het vragen. Ik wil niet dat mijn zoon omgaat met racisten. Ik heb hem verboden nog langer bij jouw ouders over de vloer te komen. Met jou spelen mag wel. Jij bent zo te horen in orde. Vind je ook niet dat je moeder raaskalt?'

De ergernis in Lex' borst groeide verder. Alles best, maar die man moest van zijn moeder afblijven. Ze had nogal sterke denkbeelden, maar dat was nu eenmaal haar karakter. Voor Lex was ze een zorgzame en lieve moeder. Alleen als ze over politiek begon...

'Mijn moeder is mijn moeder,' zei hij stug. 'U mag me niet

vragen haar af te vallen. Ze mag denken wat ze wil, ook als u het daar niet mee eens bent. Ik heb u verteld hoe ik denk over Roos en Simon. Dat is toch wat u weten wilde?' Hij stond op en keek naar Peter. 'Zullen we nog even naar buiten gaan voor het helemaal donker is?'

Peter keek vragend naar zijn vader. Die glimlachte en knikte instemmend.

Ze vlogen naar buiten, de vrijheid tegemoet.

ONTVANG DE DUITSCHE TROEPEN KALM EN WAARDIG.

Ook de overwonnene kan fier zijn.

Mei 1940

Lex hoorde de eerste berichten over de Duitse inval toen hij de ochtend van 10 mei opstond. Zijn ouders zaten in hun ochtendjas aan de radio en vertelden wat ze wisten. De berichten waren nogal verwarrend.

'Zo gaat het altijd,' zei zijn moeder met een gezicht alsof ze al veel oorlogen had meegemaakt. 'De berichtgeving hoort bij het oorlog voeren. Als je de vijand wilt misleiden, moet je helaas ook je eigen mensen voor de gek houden.'

Lex' vader was bleek van de spanning. 'Er wordt fors tegenstand geboden. Onze jongens bijten...'

'Heb je niet gehoord wat ik net zei? Dat is allemaal misleiding. Het enige wat zeker is, is dat de Duitsers eindelijk ons land zijn binnengevallen. Dat prutsleger van ons zal heus niet lang standhouden.'

Het viel Lex op dat moeders gezicht straalde. Voor haar leek dit een mooie dag. Of vergiste hij zich? Van zijn vaders gezicht was alleen angst af te lezen.

En nu? Lex voelde een grote onrust, maar wist niet wat hij daarmee aan moest. Als je land werd binnengevallen, moest je dan niet in actie komen? Hij kon niet zomaar aan de radio blijven zitten en afwachten wat er ging gebeuren.

'Wat gaan wij nu doen?' vroeg hij. Hij schaamde zich een beetje voor de trilling in zijn stem.

Zijn moeder sprong op. 'Ontbijten,' zei ze energiek. 'En daarna wachten we gewoon af. Het zal hooguit een paar dagen duren voor de orde in het land is hersteld. Dan kan het leven gewoon weer doorgaan.'

'Denk je...' probeerde Lex' vader.

'Nee, natuurlijk niet, jij gaat pas weer naar kantoor als we weten waar we aan toe zijn. De reis naar Den Bosch zou vandaag wel eens gevaarlijk kunnen zijn.'

Ze zaten zwijgend aan de ontbijttafel en luisterden intussen naar de nieuwsberichten. De Nederlandse troepen hadden zeventig Duitse vliegtuigen uit de lucht geschoten. De Duitsers probeerden ook met pantsertreinen het land binnen te komen. In Venlo was een brug opgeblazen toen een van die treinen passeerde. Op een enkele plaats in het land probeerden soldaten van de Wehrmacht stand te houden tegen de veel sterkere Nederlandse troepen.

'Ja, ja,' zei Lex' moeder schamper. 'En Kerstmis valt dit jaar in augustus.'

Het gekke was dat er alleen op de radio iets gebeurde. Als Lex uit het raam keek, zag hij wat hij altijd zag. De lindebomen op het Marktveld waren weer helemaal groen, net als de bankjes eronder trouwens. Die werden elk voorjaar schoongemaakt en zo nodig bijgeverfd. De bakker was gewoon open, want buurvrouw Frissen passeerde met een vers brood onder de arm. Je kon hooguit zeggen dat er maar weinig mensen op straat liepen. Iedereen zat kennelijk te wachten, net als zijn ouders. Niemand wist precies waarop.

Tegen twaalven hield Lex het binnen niet uit. 'Ik ga even naar Peter.'

'Is dat wel verstandig?' vroeg zijn vader zorgelijk.

'Laat die jongen toch. In Vught gebeurt alles altijd later en we zouden het heus wel gehoord hebben als er in de buurt gevochten werd. Wees blij dat je zoon niet zo'n angsthaas is.'

Buiten haalde Lex diep adem. Hij rook het verse groen aan de bomen en voelde de zon op zijn gezicht. Weer overviel hem het gevoel van onwerkelijkheid. Hoezo oorlog? Hoe kon dat nou op zo'n mooie voorjaarsdag? Oorlog moest zich afspelen op grauwe herfstdagen of bij snerpende kou.

Op de weg naar Peters huis was alles als vanouds. Althans tot hij door de straat van de familie De Vries liep. De oude Citroën van de Duitse familie stond met draaiende motor voor de deur. Voor de twee kinderen van de familie, kleuters nog, kwam het vertrek onverwacht. Ze keken ongelukkig toe hoe hun vader koffers en tassen naar buiten droeg. Simon hielp mee.

'Wat gaat er gebeuren?' vroeg Lex.

'Ze vertrouwen het niet,' zei Simon. 'Volgens mijn oom zullen de Duitsers hier dezelfde maatregelen tegen Joden gaan invoeren als in Duitsland. Ze proberen naar Engeland te komen.'

Lex schudde zijn hoofd. 'Ik denk niet dat ze dat zal lukken. Reken maar dat alles afgesloten is. En trouwens, het kan goed zijn dat er al Duitsers bij de kust zijn. Het lijkt me levensgevaarlijk.'

'Kun je nagaan hoe bang ze zijn.'

De Duitse vrouw stond nu in de deuropening, arm in arm met Simons moeder. Ze hadden beiden rode ogen en zagen er uitgeput uit.

Lex' hart sloeg een tel over. Het was dus echt oorlog, voorjaar of niet. En deze mensen wilden niet afwachten wat er komen ging. Ze wisten het al, want ze waren al eerder slachtoffer geweest.

'Hoi, heb je het al gehoord?' Roos stond opeens naast hem. Ook zij had gehuild, maar dat maakte haar ogen nog mooier dan anders.

Lex knikte. 'Wat een verdrietige...' Voor hij zijn zin kon afmaken trof de volgende gedachte hem zo onverwacht dat er een rilling door hem heen trok.

'Wat is er?' Roos stak haar arm door de zijne.

'Ik vroeg me opeens af of jullie ook weggaan.'

'Nee. We hebben er uren over gepraat, maar volgens mijn vader hebben we niets te vrezen. We zijn geboren en getogen Nederlanders en mijn moeder is niet eens Joods. Hij vindt dat mijn oom overdrijft.'

'Gelukkig. Ik bedoel... dat jullie blijven.'

Roos keek hem ernstig aan. 'Dat moet nog blijken. Mijn oom zegt dat we te naïef zijn en dat we daar spijt van krijgen.'

De auto was gepakt en het werd tijd voor afscheid. Lex liep ongemerkt weg. Hij kon niet overweg met tranen.

Bij de familie Van Grinsven twijfelde niemand eraan dat het land in oorlog was. Alle gezichten stonden somber en bezorgd. Ook hier was de radio opeens het middelpunt van de kamer. Ze knikten naar Lex en wezen naar een lege stoel. Het groene oog van de radio leek Lex te volgen. Er was meer storing dan anders, want je moest goed luisteren om te verstaan wat er werd gezegd. De presentator zei dat de koningin een proclamatie had uitgegeven. Hij las met ernstige stem voor.

Mijn Volk,

Nadat ons land met angstvallige nauwgezetheid al deze maanden een stipte neutraliteit had in acht genomen, en terwijl het geen ander voornemen had dan deze houding streng en consequent vol te houden, is in den afgeloopen nacht door de Duitsche weermacht, zonder de minste waarschuwing, een plotselinge aanval op ons land gedaan, dit niettegenstaande de plechtige toezegging, dat de neutraliteit van ons land zou worden ontzien, zoolang wij haar zelf handhaafden.

Ik richt hierbij een vlammend protest tegen deze voorbeeldelooze schending van de goede trouw en de aantasting van wat tusschen beschaafde Staten behoorlijk is.

Ik en Mijn Regeering zullen ook thans onzen plicht doen. Doet gij den uwe, overal en in alle omstandigheden, ieder op de plaats

waarop hij is gesteld, met de uiterste waakzaamheid en met de in-
nerlijke rust en overgave, waartoe een rein geweten u in staat stelt.
WILHELMINA

Peters vader sloeg met een vuist op de armleuning van zijn
stoel. 'Nu weten we het zeker! Waar we al bang voor waren, is
echt gebeurd. En dat de Duitsers niet tegengehouden zullen
worden, is ook duidelijk.'

'Hoe weet je dat, pap?' vroeg Peter.

'Ik denk dat zo'n proclamatie pas wordt uitgevaardigd als
de uitkomst vaststaat. Die oproep om onze plicht te doen
zegt mij genoeg. We gaan een moeilijke tijd tegemoet.'

Peters moeder veegde een traan weg. 'De koningin gebruikte wel harde woorden. Vergeleken met anders, bedoel
ik.'

Van Grinsven knikte. 'Ja. Je weet dat ik niet erg koningsge-
zind ben, maar dit keer viel die oude dame me mee.'

'Wat moeten we nu doen?' vroeg Peter.

Lex keek gespannen naar Peters vader. Zou die wel een antwoord hebben?

Van Grinsven leek naar een punt op de muur achter Peter te
staren en wachtte even voor hij antwoord gaf. 'Onze plicht,'
zei hij toen. 'Wat dat is, zal snel duidelijk worden. In elk geval
gaan we niet met onze armen over elkaar zitten en toekijken
hoe die moffen het land overnemen.'

Dat klonk een stuk beter dan het antwoord van zijn ouders,
vond Lex. 'De Duitse familie van Roos en Simon is meteen
gevlucht,' vertelde hij.

Van Grinsven keek somber. 'Een beetje laat ben ik bang.
Waar willen ze naartoe? De Duitsers zijn vanochtend ook België en Frankrijk binnengevallen. De boten naar Engeland zullen overvol zijn.'

Peters moeder sloeg een kruis. 'We zullen bidden voor hun

23

veiligheid. Die kindertjes waren nog zo klein...'

Gek, dacht Lex, dat voor haar de leeftijd van de kinderen ter zake deed. Was het minder erg als de kinderen zo oud waren als hij en Peter?

'Zeg, wat vinden jouw ouders eigenlijk van de inval?' vroeg meneer Van Grinsven opeens.

Lex haalde zijn schouders op. 'Erg, natuurlijk.' Waarom zou hij ook vertellen van de glans op moeders gezicht? Ze had het beste met iedereen voor. Dat ze anders tegen dingen aankeek dan meneer Van Grinsven was haar goed recht.

'En wat vind je zelf?'

'Het ene moment denk ik dat ik het allemaal droom, omdat er buiten niets te merken is van een oorlog. Maar soms, zoals toen ik die bange mensen hun auto zag inpakken om te vluchten, word ik heel boos. Dan zou ik het liefste meevechten. De gedachte dat de Duitsers Roos en Simon iets zouden aandoen...' Hij was steeds harder gaan praten en schrok zelf van de woede in zijn stem.

Peter wees met zijn hoofd naar buiten. Lex knikte. Ook hij voelde de beklemming van het binnen zitten luisteren naar de radio. De onzekerheid en de angst moesten uit hun lichaam. Naar het bos mochten ze niet van Peters ouders, maar voetballen op het grasveld naast hun huis wel.

Er waren nu meer mensen op straat dan een uurtje geleden. Ze stonden in groepjes bij elkaar en praatten met een bedrukt gezicht over de inval. De meeste mannen hadden gedaan wat Lex' vader ook had gedaan, thuisblijven. Terwijl ze elkaar zonder veel enthousiasme de bal toespeelden, realiseerde Lex zich dat al die volwassenen even onzeker waren als hij. Anders wisten ze altijd zo goed hoe alles gedaan moest worden. Nu konden ze ook niets anders doen dan afwachten.

De volgende dag, op 11 mei, kwam de oorlog ook naar Vught,

althans een eerste voorbode van de oorlog. Na een onrustige nacht, Lex had voor het eerst in zijn leven niet kunnen slapen, was hij weer naar Peter gegaan. Bij het huis van de familie De Vries was geen leven te bespeuren die ochtend. De luiken voor de ramen waren gesloten. Maar ze waren er nog. Op de bovenverdieping klonk het geluid van Roos' klarinet door het gesloten raam heen. Ze speelde een weemoedig stuk.

Het was dat Peters vader andere kleren aanhad, anders zou je geloven dat hij de hele nacht bij de radio had gezeten. 'Ze zijn door de Peellinie gebroken,' zei hij nog voor Lex de deur achter zich had gesloten.

'Wat is dat?'

'Een verdedigingslijn van het leger die recht omlaag loopt van Grave naar de Belgische grens.' Peters vader wreef over zijn kin. Voor scheren was vanochtend geen tijd geweest, zag Lex. 'In elk geval ligt dit deel van het land nu open voor de Duitsers. Pas bij Dordrecht worden ze weer opgevangen.'

Peters moeder serveerde koffie zoals altijd. Nog steeds probeerde iedereen gewone dingen te blijven doen. Maar nog voor ze de koffie op hadden, trok de oorlog een lange neus naar hen. Eerst was er alleen nog een vaag gebrom in de verte, maar dat gebrom werd snel zwaarder en harder. Van Grinsven, Peter en Lex waren net op tijd in de tuin om de eerste Duitse bommenwerpers te zien overvliegen.

'Die laten hun bommen pas vallen als ze in het westen zijn,' zei Peters vader. 'Ik benijd de mensen in Rotterdam en omgeving niet.'

'Waarom denk je dat ze naar Rotterdam gaan?' vroeg Lex.

'De haven, jongen. Je kunt je wel voorstellen dat ze die zo ongeschonden mogelijk in handen willen krijgen. Het wordt hun uitvalsbasis naar het westen. En trouwens als de Duitsers de haven in handen hebben, kunnen de Engelsen die niet gebruiken om binnen te vallen.'

Het geluid van de bommenwerpers bleef de hele dag in hun oren dreunen.

Aan het begin van de middag zagen Lex en Peter hoe vanaf de provinciale weg van Den Bosch naar Tilburg twee legerauto's met hoge snelheid het dorp binnenreden. Bij de eerste kruising namen ze de afslag naar het centrum.

'Wegwezen,' riep Peter. 'Het zijn vast Duitsers.'

Ze herkenden net op tijd de Nederlandse vlag op de auto's en bleven op het trottoir voor Peters huis staan.

Een jonge officier sprong uit de voorste auto. Hij zag eruit alsof hij al dagen niet geslapen had. Zijn uniformjas hing open en zijn broek zat vol moddervlekken. Met bloeddoorlopen ogen keek hij de jongens aan. 'Zijn er hier al Duitsers gesignaleerd?'

'Nee,' zei Lex. 'Alleen die vliegtuigen.'

'En andere Nederlandse troepen?'

'Die zijn bijna allemaal weg. De kazernes staan sinds gisteren zo goed als leeg. Jullie zijn de eerste soldaten die we zien.'

De man trok een vies gezicht. 'Ik was er al bang voor. Dan zijn we allemaal op ons zelf aangewezen. Onze communicatieapparatuur werkt niet meer. Ik heb geen idee waar de andere mensen van mijn eenheid zitten.' Hij leunde tegen zijn auto alsof hij zijn laatste krachten had verbruikt. Zijn mannen keken ongeduldig toe.

'Je ziet eruit alsof je al lang niets meer gegeten hebt.' Peters vader had blijkbaar gehoord dat er auto's voor zijn huis waren gestopt, en was naar buiten gekomen. Na een eerste onderzoekende blik stond zijn gezicht nu vriendelijk, bezorgd bijna.

'Dat klopt, meneer. We hadden wel andere dingen aan ons hoofd. Was dat trouwens een aanbod? Ik ben te moe om het af te slaan, of het nu volgens de regels is of niet. Als mijn mannen even kunnen zitten en een hapje eten, kunnen ze er weer tegen.'

'Met z'n hoevelen zijn jullie?'

'Met mij erbij vijf. Ik ben kapitein Havermans, trouwens.'

'Kom binnen, kapitein.'

'We zetten de auto's even weg.' Hij wees zijn chauffeur naar een grasveld verderop. 'Zet ze daar maar onder de bomen. Dan zijn ze in elk geval niet uit de lucht te zien.'

De vijf mannen zagen er aangeslagen en vervuild uit. Ze zaten stil aan de keukentafel en aten een boterham. Kapitein Havermans omzeilde alle vragen over wat er zich langs de Peellinie had afgespeeld. Toen Peters vader aandrong gaf hij wel toe dat de linie was gevallen.

'Vind je het gek als we van twee kanten worden aangevallen,' zei een van de andere mannen. Hij sprak met een zwaar Gronings accent en op zijn gezicht was te lezen dat hij nog steeds niet begreep waarom er opeens ook Duitsers in hun rug waren opgedoken.

Havermans knikte. 'Dat was inderdaad onverwacht. Om de een of andere reden is de brug bij Gennep niet opgeblazen. De Duitsers konden gewoon een trein vol soldaten naar het gebied achter ons sturen. Wij hadden de situatie aan de andere kant net onder controle. Veel van onze mensen kunnen dat niet navertellen.' Hij stond op. 'Kom, we hebben deze mensen genoeg overlast bezorgd. Dank u wel, mevrouw.'

De mannen stonden net bij de voordeur, toen Simon buiten adem het huis via de keukendeur binnenstormde met Roos in zijn kielzog. 'Ik hoorde van mensen op straat dat jullie hier waren. Jullie kunnen niet terug naar de auto's. Er liggen zeker tien Duitse soldaten op jullie te wachten.'

Havermans klopte Simon op de schouder. 'Dank je, je was net op tijd, anders waren we zo in de val gelopen.' Hij dacht even na. Toen verscheen een glimlach op zijn gezicht. 'We draaien de rollen om. Waar liggen ze precies?'

'Achter een muurtje. Je kunt ze vanaf de straat niet zien, maar zij kijken recht op jullie auto's,' zei Roos.

'Mooi, dan zullen wij nu eens onverwacht in hun rug opduiken.' Havermans leek opeens in niets meer op de uitgeputte militair die een half uur geleden uit de auto was gestapt.

'Zal ik u wijzen hoe u er ongezien kunt komen?' vroeg Lex.

Voor Havermans kon antwoorden, stond Peters vader al bij de deur. 'Dat doe ik wel. Jij bent nog te jong voor dat soort dingen.'

De mannen verdwenen door de achterdeur.

Simon hijgde nog steeds. 'Opeens waren ze er. We waren even bij de bakker. Toen ik naar binnen ging was het nog rustig op het plein. Drie minuten later kwam ik buiten en staat Heinen van de fietsenwinkel met een groep Duitsers te smiespelen. Hij wees in de richting van jullie huis en maakte zich toen snel uit de voeten. Ik had van mijn vader al gehoord dat er Nederlandse soldaten waren gesignaleerd bij Van Grinsven. Toen was het wel duidelijk wat de bedoeling was, zeker toen ze met hun geweren in de aanslag achter het muurtje gingen liggen.'

'Was je niet bang dat ze je doorhadden?' vroeg mevrouw Van Grinsven.

Simon keek haar verbaasd aan. 'Nee hoor, het was voor het eerst vandaag dat ik níét bang was. Maar eerlijk is eerlijk, Roos zei dat we hiernaartoe moesten komen.'

Roos stond er met een rood hoofd bij en zei niets.

Meteen klonk het geluid van schoten en geschreeuw dat zich een uitweg zocht door het smalle straatje.

Mevrouw Van Grinsven zakte op een stoel en vouwde haar handen. Lex begreep niet hoe iemand op dit moment kon bidden. Hij was zo opgewonden dat hij het liefst naar het plein was gelopen om te zien hoe het gevecht afliep.

'Gelukkig, jullie zijn er nog.' Meneer Van Grinsven kwam weer binnen door dezelfde deur waardoor hij tien minuten geleden vertrokken was. 'Ik was al bang dat die jongens een kijkje waren gaan nemen.'

'We weten wel beter,' zei Lex. Kon die man soms gedachten lezen?

De schotenwisseling duurde meer dan een half uur. Al die tijd probeerde Lex te begrijpen of vijf man met het voordeel van de verrassing aan hun kant even sterk waren als tien tegenstanders. Het antwoord rende opeens door de achtertuin.

'Henk, kijk!' Mevrouw Van Grinsven wees door het keukenraam naar buiten.

Drie Duitse soldaten haastten zich door hun tuin en klommen over het hek bij de buren. Ze keken steeds angstig achterom en riepen iets naar iemand die pas later zichtbaar werd. Deze soldaat was duidelijk gewond aan zijn been en gebruikte zijn geweer als stok om op te lopen. Zijn gezicht was vertrokken van pijn en het zweet liep in straaltjes onder zijn helm vandaan. Ook hij keek steeds achterom. Terecht. Toen hij halverwege Van Grinsvens tuin was, klonk er een schot. De Duitser viel tussen de pas geplante groenten en bleef doodstil liggen.

Lex zag dat Peters moeder een hand voor haar mond sloeg en haar blik afwendde. Nog voor ze in de keuken van de schrik waren bekomen, renden drie Nederlandse soldaten achter de Duitsers aan. De Groninger bleef staan bij de Duitser op de grond. Hij draaide hem met zijn voet om, keek even en rende toen verder.

Vijf minuten later klonken er opnieuw schoten, nu aan de andere kant van het dorp. Lex en Peter renden naar de andere kant van het huis en keken uit op de straat. Daar was het doodstil. Iedereen in de straat was naar binnen gevlucht en wachtte op de afloop van de gebeurtenissen.

Een paar minuten later zag Lex dat Havermans en zijn mannen in hun opzet waren geslaagd. Ze zwaaiden naar hem toen ze het huis weer passeerden, ontspannen nu en de meesten met een sigaret in de mond. Even later hoorden Peter en hij de motoren van de auto's starten. Toen de militairen weer uit Vught vertrokken voelde Lex zich vreemd verlaten en onveilig.

'Nou, in Vught is de oorlog ook begonnen,' zei Peter somber.

Nu het gevecht was afgelopen dacht Lex opeens weer aan de soldaat die zo verfomfaaid in de tuin lag. Hij liep schoorvoetend terug naar de keuken. Er was hier iemand voor zijn ogen doodgeschoten. Zoiets was toch niet te bevatten? De ouders van Peter stonden nog steeds bewegingloos bij het raam. Van Grinsven had een arm om de schouders van zijn vrouw geslagen.

'Havermans is weg,' zei Peter.

Zijn vader leek nauwelijks geïnteresseerd. 'Wat moeten we in vredesnaam doen met die soldaat in onze tuin? Je kunt hem toch niet zomaar laten liggen, of hij nou dood is of niet.'

Hoezo, niet dood? Lex keek opnieuw naar het roerloze lichaam in de tuin. Eerst dacht hij nog dat hij het zich verbeeldde, maar bij de tweede keer wist hij zeker dat de soldaat zijn hoofd even optilde.

'Die soldaat leeft nog,' riep hij opgewonden.

Meneer Van Grinsven wilde naar de deur lopen, maar zijn vrouw hield hem tegen. 'Blijf binnen, het is levensgevaarlijk. Die kerel heeft zijn geweer nog naast zich liggen.'

Van Grinsven aarzelde.

Dit keer waren Lex en Roos hem te snel af. Ze dachten hetzelfde. Er lag daar een man dood te bloeden. Dan kon je niet werkeloos toekijken. Zij renden naar buiten en knielden naast

30

de gewonde man. Die opende even zijn ogen, maar maakte verder geen beweging.

'Dit zal ik maar even opzijleggen.' Van Grinsven was achter Lex en Roos aangelopen en gooide het geweer een eind verderop. Vervolgens haalde hij de revolver uit de dienstriem van de soldaat en stak die achter zijn broekband.

Lex kon zijn ogen niet afwenden van het bleke gezicht van de soldaat. Het was een jongen van hooguit 19 jaar. Hij had nog niet eens een baard.

'Dat hij aan zijn been gewond was, wisten we al,' zei Van Grinsven. Hij draaide de man heel voorzichtig op zijn zij. Er verscheen meteen een grimas van pijn op het baardeloze gezicht. De bloedvlek onder de rechterschouder sprak boekdelen.

Simon en Peter hadden hun angst nu ook overwonnen, maar ze bleven wel op enige afstand staan.

'Peter, haal jij dokter Lardinois even, wil je?' zei Van Grinsven zonder op te kijken.

Peter leek opgelucht dat hij weg kon en rende de tuin uit.

Lex was intussen gewend aan de aanblik van de gewonde soldaat. Hij haakte de veldfles los van de riem en schudde ermee. Er zat nog water in. Hij schroefde de dop los en hield de fles bij de lippen van de soldaat. Die opende verschrikt de ogen, maar dronk gretig toen hij zag wat er gebeurde.

'Hij ziet eruit als een heel gewone man,' zei Simon nauwelijks hoorbaar.

Van Grinsven keek verbaasd op. 'Wat had je dan verwacht? Dat er in Duitsland een andere mensensoort leeft?'

'Nee, natuurlijk niet, maar door al die verhalen over wat er daar gebeurt...'

'Ik begrijp het,' zei Van Grinsven. 'Dat is een goede les voor ons allemaal. Soldaten zijn gewone mensen. Ze hebben alleen een uniform aan en dragen wapens. Maar ooit waren ze baby's waar een moeder trots op was en ze hebben allemaal vrouwen of vrienden. Het helpt soms om je dat te blijven voorstellen.'

Mevrouw Van Grinsven had ook haar angst overwonnen. 'We kunnen die jongen hier niet zo laten liggen,' zei ze. 'Draag hem maar naar binnen. Ik zal een doek over de bank leggen.'

'Die jongen' had ze gezegd. Terwijl Lex meehielp de soldaat op te tillen, bedacht hij dat ze daarmee de woorden van haar man had bevestigd. Dit was niet de vijand, maar een gewonde jongen, zoon van een andere moeder. Hij moest dus gewoon geholpen worden.

Toen ze de soldaat voorzichtig op de bank hadden gelegd, opende hij weer even zijn ogen. '*Danke*,' zei hij, nauwelijks verstaanbaar.

Peter gooide de keukendeur met een knal achter zich dicht. 'Wat een schoft,' zei hij.

Lex keek hem vragend aan.

'Die Lardinois! Weet je wat hij zei? Dat hij voor zo'n mof geen moeite deed. Het is toch niet te geloven.'

'Ik dacht dat artsen een eed hadden gezworen,' zei Van Grinsven. 'Die is nog niet van mij af, maar daar hebben we nu niets aan. Als deze jongen niet behandeld wordt, bloedt hij op onze bank dood.'

Lex kuchte. 'Mijn moeder is vroeger verpleegster geweest,' zei hij aarzelend. 'Zij zou misschien wat kunnen doen. Als u het goedvindt dat ze hier komt.'

'Natuurlijk vinden wij dat goed,' zei mevrouw Van Grinsven. 'Dit is geen moment voor kinderachtig gekibbel. Ga maar snel.'

Het kostte Lex weinig moeite zijn moeder te overtuigen. Ze stopte snel wat spullen uit het medicijnkastje in een tas en rende toen achter Lex aan.

Er was geen tijd voor formele begroetingen of gesprekjes. Lex' moeder groette iedereen met een kort hoofdknikje en boog zich toen meteen over de gewonde soldaat.

'Kunt u wat water voor me koken?' vroeg ze aan mevrouw Van Grinsven. 'En jij.' Dit was tegen Lex. 'Help even om die kleren uit te trekken.'

Pas toen hij bezig was de uniformjas uit te trekken, bedacht Lex dat zijn moeder niet gevraagd had of hij wel durfde mee te helpen. Ze vertrouwde erop dat hij daar het lef wel voor zou hebben. Simon en Peter waren intussen zonder iets te zeggen verdwenen.

'Misschien is het beter als jij ook even weggaat, jongedame, want we gaan deze jongen uitkleden,' zei Lex' moeder.

Roos knikte en volgde Simon en Peter.

Lex hielp nu ook de broek uit te trekken zodat de beenwond zichtbaar werd. Zijn moeder bekeek de twee wonden aandachtig.

'Dat been is geen probleem. Een vleeswond, de kogel is er aan de andere kant weer uit gegaan. Een kwestie van ontsmetten en verbinden. De kogel onder zijn schouder zit er nog. Gelukkig zijn de longen niet geraakt, want ik kan de kogel zo zien zitten.'

'Kunt u hem verwijderen?' vroeg Peters vader.

'Ja, dat zal wel moeten. Heeft u een spits tangetje voor me? Vraag uw vrouw om dat een paar minuten mee te koken.'

'En wat doen wij intussen?' vroeg Lex.

'Uitrusten. Leg die jongen even een deken op wil je, hij heeft het kippenvel op zijn armen staan.'

Lex deed wat hem gevraagd werd. Niet dat de soldaat er iets van zou merken, want hij leek nu echt het bewustzijn te hebben verloren.

Twee uur later was de kogel verwijderd. Daarna hadden ze de wonden ontsmet en verbonden en de soldaat in kleren van meneer Van Grinsven gehesen.

'Dank u wel,' zei Peters vader toen Lex en zijn moeder vertrokken. 'Ik had dit zelf niet gekund.'

'Ieder zijn vak, meneer,' zei Lex' moeder.

Toen ze naar huis liepen was de schemering al over Vught neergedaald. Moeder haakte haar arm in die van Lex. 'Ik ben trots op je,' zei ze.

Lex dacht aan de kordate manier waarop ze vanavond was opgetreden. 'Ik ook op u,' zei hij. 'Heeft u die man trouwens alleen geholpen omdat het een Duitser was?'

Ze lachte hardop. 'Gekke jongen, je zou me beter moeten kennen. Als er iemand gewond is, moet hij hulp krijgen. Punt uit. Lardinois is een hufter.'

Lex wist zeker dat hij haar nog nooit op zo'n woord had kunnen betrappen. Hij klemde haar arm wat vaster onder de zijne en voelde zich merkwaardig warm en rustig.

NEDERLANDSCHE REGEERINGS VOORLICHTINGS-
DIENST RADIO ORANJE

UITZENDING VAN MAANDAG 15 SEPTEMBER 1941.

SPEECH: HET ONDERWIJS AAN JOODSCHE KINDEREN.

(TEKST: Z.E. MINISTER G. BOLKESTEIN)

Wij ontvingen hier het Ochtendblad van het 'Handelsblad' van 30 Augustus j.l. waarin de Secretaris-Generaal van het Departement van Onderwijs, Wetenschap en Cultuurbescherming aankondigt, dat hij een nieuwe opdracht van den Rijkscommissaris moet uitvoeren. Opnieuw is het, of deze uitdrukkelijke vermelding van het uitvoeren eener opdracht, een verontschuldiging moet zijn voor de begane daad. Want de nieuwe verordening komt hierop neer: Joodsche kinderen worden alleen nog maar toegelaten op scholen waar Joden onderwijs geven. Joodsche leerkrachten mogen alleen onderwijs geven aan Joodsche leerlingen; aan niet-Joodsche leerkrachten is onderwijs aan Joodsche leerlingen verboden. (...)

Landgenooten, ik weet dat gij deze nieuwe beleediging en verdrukking van Uw Joodsche medeburgers onvoorwaardelijk zult verfoeien. (...)

September 1941

'Zo jongen, vandaag begint weer een nieuw jaar. Ongeloof- lijk dat je nu al weer naar de tweede klas van de hbs gaat. De tijd gaat zo snel.' Lex' vader stond voor de spiegel in de gang en veegde de ontbijtkruimels van zijn broek. Het zwarte uni- form dat hij sinds het voorjaar droeg, moest onberispelijk zijn voor hij naar buiten ging. Hij bracht veel tijd door op het gemeentehuis tegenwoordig. De Duitsers vertrouwden de burgemeester van geen kant en hadden hem daarom een NSB'er als waakhond gegeven. De vader van Lex speelde die rol met steeds meer overtuiging. Het was alsof het uniform hem sterker maakte. Van aarzeling was geen sprake meer. Hij liep over straat als een trots man.

'Je zoon is al bijna even groot als jij bent!' Moeder kwam de gang binnen met het pakketje boterhammen voor Lex en bekeek hen verbaasd. 'Ik heb nu twee mannen in huis.'

Helaas wel, dacht Lex. Zijn moeder had die zomer beslo- ten dat hij te groot was voor een korte broek, mooi weer of niet. Een korte broek was goed om in de vakantie met zijn vrienden rond te lummelen, maar als hij naar school ging in Den Bosch moest de lange broek aan. Nee, discussie overbo- dig. Moeder wist wat het beste voor hem was. En bovendien moesten zij het voorbeeld geven in dit dorp. Zijn vader was niet voor niets voorzitter van de NSB-afdeling. En dus voelde Lex de wol kriebelen aan zijn benen.

'Fiets je een stukje met me op?' vroeg zijn vader.

Lex knikte met tegenzin. Eigenlijk wilde hij niet gezien worden met zijn vader als die dat uniform droeg. Hij zag te vaak de spottende lach op de gezichten van hun dorpsgeno- ten. Net als Lex wisten zij nog heel goed dat die trotse man in uniform nog niet zo lang geleden een verlegen ambtenaar was.

Ze kwamen 's ochtends altijd samen bij het huis van Roos en Simon. Van daaruit fietsten ze samen naar Den Bosch. Pas helemaal op het eind ging Roos dan haar eigen weg. De mms lag een paar straten verder dan de jongensschool. Peter stond er al toen Lex en zijn vader kwamen aanfietsen.

'Lange broek? Met dit weer?' Peter had een spottende blik in zijn ogen. Lex foeterde in de laatste vakantieweek zoveel over zijn moeders beslissing, dat ze allemaal de draak met hem hadden gestoken.

'Ja, wat een kerel al, hè?' zei Lex' vader trots.

'Dag pap. Tot vanavond.'

Zijn aansporing kwam te laat. Mevrouw De Vries deed het tuinpoortje open om Roos en Simon naar buiten te laten en keek onaangenaam verrast naar de man in zijn zwarte uniform.

'Goedemorgen, mevrouw. Is het geen stralende dag?' Lex' vader lichtte zijn pet even op. Op dit soort momenten herinnerde hij Lex weer aan de vader van vroeger.

Mevrouw De Vries zag de dingen zoals ze nu waren. Ze wierp Lex' vader een koele blik toe en sloot het poortje weer. Lex zou hebben gezworen dat ze het afgelopen jaar tien kilo was afgevallen. De angst had ook diepe groeven in haar gezicht getrokken. Vanochtend leek het allemaal nog erger dan de afgelopen weken. Hij voelde het medelijden als een zware steen op zijn borst liggen.

Zijn vaders humeur was onverwoestbaar. Hij negeerde de afwijzing van mevrouw De Vries met een vrolijk gezicht. 'Nou, jongelui. Zet hem op vandaag. Een goed begin is het halve werk,' zei hij en hij zwaaide hen joviaal na.

Lex herinnerde zich niet anders dan dat Roos druk kwebbelde van het vertrek tot op de splitsing waar ze een andere weg nam dan de jongens. Vanochtend was ze opvallend stil. Simon trouwens ook.

'Hebben jullie de pest in omdat de vakantie is afgelopen?' vroeg Peter.

Lex was niet de enige die de bedrukte stemming was opgevallen.

'We hebben gisteravond vervelend nieuws gekregen,' zei Simon. Hij bleef voor zich uitkijken en trapte extra hard door. Toen hij verder niets zei, drong Lex aan: 'Wat voor nieuws?'

Nu deed Roos het woord. 'Herinner je je de oom en tante die een tijdje bij ons hebben gewoond? Nou, je had gelijk. Het is hun niet gelukt om weg te komen. Ze zijn opgepakt en een tijd vastgehouden ergens in Drenthe. Nu hebben de Duitsers opeens ontdekt dat het niet alleen Joden, maar ook vluchtelingen uit Duitsland zijn. En dus zijn ze officieel Nederland uitgezet. Hun bestemming is een werkkamp in Polen. Hoe het allemaal precies zit weten we niet. Mijn oom heeft een half jaar geleden een kaartje gestuurd, waarop de helft van de zinnen was weggestreept door de moffen. En gisteravond werd een brief bezorgd van de kampcommandant in Drenthe.' Ze hijgde intussen van inspanning. 'Verdomme Simon, fiets eens niet zo hard, man.'

Lex schrok van de toon. Roos werd zelden boos en vloeken deed ze al helemaal niet. 'Misschien is zo'n werkkamp niet eens zo slecht,' zei hij. 'Dat is beter dan op de vlucht zijn. Als de oorlog snel afgelopen is...'

Roos leek niet eens te luisteren. 'Soms komen er verhalen naar buiten over hoe de nazi's met Joden omgaan... Je gelooft je oren niet als je het hoort. Ik ben bang dat we nooit meer van ze zullen horen.' Ze keek Lex aan met een verbeten trek op haar gezicht. 'Mijn oom had gelijk. We hadden moeten vertrekken toen het nog kon.'

Dat hadden ze gelukkig niet gedaan, dacht Lex. Meteen realiseerde hij zich hoe egoïstisch die gedachte was. Hij keek uit naar elke keer dat hij met Roos samen kon zijn. Naast haar naar school fietsen was het hoogtepunt van zijn dag. Maar als dat haar in levensgevaar bracht, wat was dan het belangrijkste?

'Jullie hebben zelf toch nog niet veel problemen?' Het was meer een vaststelling dan een vraag van Peter.

'Lees je geen kranten?' Simon was nog steeds boos. 'Zou je eens moeten doen en dan opletten wat er allemaal over Joden wordt gezegd en welke regeltjes er worden uitgevaardigd.'

'Sorry hoor,' zei Peter.

Lex zag dat hij het meende. Peter had Roos en Simon alleen maar willen sussen.

De rest van de fietstocht verliep zonder dat er veel gezegd werd. Roos zwaaide alleen even toen ze op de Postweg links afsloeg.

Het grote affiche naast de ingang van de school was niet te missen. 'Samenkomst in de aula voor alle klassen om 8.30 uur' stond er in grote zwarte letters. Toen ze de aula binnenkwamen was het al zo druk dat ze moeite moesten doen om drie vrije stoelen naast elkaar te vinden. Om hen heen klonk het drukke geroezemoes van scholieren die elkaar na twee maanden weer zagen en vakantie-ervaringen uitwisselden. Op de voorste rijen schudden leraren elkaar de hand.

De directeur verscheen achter het spreekgestoelte op het podium en keek bezwerend de zaal in. Hij was niet veranderd in de vakantie, het steil achterovergekamde grijze haar, de grote zwarte bril en het koordje van zijn hoorapparaat dat in het colbertje verdween. Hij hoefde maar één keer zijn hand op te heffen. Toen was het stil in de zaal. Directeur Daniëls leidde zijn school met strenge hand.

40

'Heren,' zei hij met zijn nasale stem. 'Welkom terug na een ongetwijfeld welverdiende vakantie. We gaan vandaag weer aan het werk, want we weten dat we alleen door studie verder kunnen komen in het leven. Ik heb in de twintig jaar dat ik hier directeur ben de eerste schooldag altijd als een feestdag beschouwd. Al die jonge mensen die het leven en de wereld willen begrijpen, kwamen dan weer naar deze school in de hoop hier antwoorden te vinden.' Hij stopte plotseling en keek op zijn papier. 'Hoe zal ik dit nu zeggen? In elk geval is deze eerste schooldag absoluut geen feestdag.' Opeens klonk hij boos. 'Ik heb de afgelopen week dingen moeten doen die indruisen tegen alles waar ik in geloof. Op bevel van hogerhand heb ik een lijst moeten maken met de namen van Joodse leerlingen op onze school.'

Lex voelde hoe Simon naast hem verstrakte. Laat die oom niet gelijk krijgen, dacht hij. En laat Simon in elk geval vandaag met rust. Na het nieuws van gisteravond kan hij er niet nog meer bij hebben.

Daniëls ging intussen steeds sneller praten alsof dat de enige manier was om zijn woede in toom te houden. 'Ik heb geprotesteerd, ik heb geweigerd, maar het hielp niet. Als ik had volgehouden, zou er hier nu een NSB-directeur staan en dat wil ik jullie besparen. De lijst ligt nu op het bureau van een Duitse bestuurder of een van zijn Nederlandse knechten. Vanochtend heb ik begrepen waar die lijst voor nodig is. Met ingang van dit studiejaar moeten Joodse kinderen gescheiden van de anderen onderwijs volgen. Dat is volstrekt logisch natuurlijk, Joodse wiskunde is heel anders dan Duitse wiskunde.'

Het cynisme in de stem was snijdend en sommige leraren draaiden ongemakkelijk op hun stoel. Je wist maar nooit wie meeluisterde.

'Ik heb vanmorgen contact opgenomen met mijn collega

van het joods lyceum,' ging Daniëls door. 'Die is even geschokt als ik, maar we zullen samen de overgang van leerlingen zo soepel mogelijk regelen. Er rest mij nog één ding. Ik wil mijn oprechte excuses aanbieden aan onze Joodse leerlingen. Het is strijdig met elk beginsel van beschaving om dit soort onderscheid tussen mensen te maken, maar ik kon het niet verhinderen.'

Simon sprong op uit zijn stoel. Zijn gezicht was vuurrood. 'Mooie woorden, meneer de directeur, maar u weet ook dat dit nog maar het begin is. Een deel van mijn familie is al weggevoerd. Dat gaat met ons ook gebeuren. En dan is er weer iemand die zegt dat het hem vreselijk spijt, maar dat hij er niets aan kan doen. Alsof wij daar iets mee opschieten! Als u vanavond beschaafd in uw bed ligt te slapen, zitten er andere mensen angstig te wachten op wat hun nu weer te wachten staat. Van die mensen die goed zijn in Joodse wiskunde.'

Simon draaide zich naar Lex en beet hem toe. 'En jouw pa had ons wel eens kunnen waarschuwen.'

'Meneer De Vries, is dat niet wat...' riep Daniëls.

'Nee, meneer de directeur, dat is het niet en meneer De Vries gaat alvast naar zijn nieuwe school. Is dat niet soepel geregeld?' Simon stormde naar het einde van de rij en stapte woedend naar buiten.

Daniëls keek hem verslagen na en zweeg. Minutenlang hing er een ijzige stilte in de aula. Toen begonnen leraren de leerlingen naar hun klassen te sturen. De directeur stond nog steeds achter zijn spreekgestoelte.

Die middag fietsten Lex en Peter alleen naar huis. Simon was in geen velden of wegen te bespeuren. En Roos? Die had op haar school waarschijnlijk hetzelfde te horen gekregen als zij. Hoe ze daarop gereageerd had, wisten ze niet, want ook Roos kwam niet meer opdagen, hoe lang Lex en Peter ook wachtten op de Postweg. Terug in Vught fietsten ze eerst naar het huis van familie De Vries. De luiken waren weer gesloten en het huis leek onbewoond. Ze klopten op de deur en de luiken, maar er werd niet opengedaan. Ze zeiden niets meer tegen elkaar. Lex zag de trieste blik in Peters ogen en wist dat hij zelf ook zo keek.

Vader was even opgewekt als die ochtend, merkte Lex. Zijn laarzen blonken nog steeds, zijn uniform zat onberispelijk en het leven was mooi. En zijn moeder speelde de perfecte huisvrouw. Het eten was zo klaar en of haar man misschien een borrel wilde? Nou, dacht Lex, dat spel speel ik vanavond niet mee. Hij wist zich in te houden tot ze aan tafel gingen.

'Vandaag heb ik eindelijk kunnen zien wat die mooie club van jullie allemaal aanricht,' barstte hij uit.

Zijn moeder schepte de soep rustig op en keek haar man onderzoekend aan. Die haalde zijn schouders op.

'Wat is er gebeurd?'

Lex struikelde van verontwaardiging over zijn woorden toen hij vertelde wat directeur Daniëls had meegedeeld.

'Laat je soep niet koud worden,' zei zijn moeder.

'Is dat alles wat je te zeggen hebt?' Lex schrok van de felheid in zijn stem. Zo praatte hij anders nooit tegen zijn moeder. Zijn boosheid was sterker dan zijn opvoeding vandaag.

'Nee, natuurlijk niet, maar ik vind dat we als volwassen mensen met elkaar moeten praten. Het is vreselijk voor de kinderen De Vries, dat zie ik ook wel in, maar die dingen gebeuren niet voor niets. De Duitse overheid heeft in overleg met onze leider kennelijk besloten dat dit een goede regeling is. Wij kennen niet alle achtergronden, dus moeten we een beetje oppassen met snel te oordelen.'

'Het gaat wel om mijn vrienden.'

'Ja, maar herinner je je nog dat ik een aantal jaren geleden al gewaarschuwd heb tegen jullie vriendschap? Ik wist dat dat niet goed kon gaan.'

Lex keek zijn moeder sprakeloos aan. 'U hoort toch hoop ik zelf ook wel wat een merkwaardige redenering dat is?'

Ze keek hem opeens koel aan. 'Jullie jongelui denken de wijsheid in pacht te hebben. Omdat jij nu hoger onderwijs volgt dan ik ooit heb gehad, geeft je dat nog niet het recht mij te kleineren. Tien jaar geleden was je vader werkloos en moest ik als werkster de kost verdienen bij rijke mensen in Den Bosch. Laat dat nou toevallig allemaal Joden zijn. De kleinerende manier waarop zij me behandelden, zal ik nooit vergeten. Als ik erbij was gingen ze zelfs Frans praten, want ik mocht niet horen wat ze zeiden. Het heeft jaren geduurd voor je vader weer aan het werk kon en net toen we onze zaakjes weer op orde hadden... Vertel jij het maar.'

Lex' vader keek geschrokken op. 'Tja... Je bedoelt natuurlijk waarom we... Toen wij weer een gewoon leven konden leiden, werd duidelijk dat er in Rusland een nieuw, groot gevaar loerde. De communisten daar zijn eropuit de hele wereld te veroveren. Onze regering deed daar niets tegen. Tot Mussert van zich liet horen. Die zag wat er voor onze ogen gebeurde en riep op om ons te wapenen tegen het Russische gevaar. "Mussert of Moskou!" was een van de leuzen. Nou, wij wisten wel waar we voor kozen! En bovendien herinnerde de NSB ons eraan wat een geweldig volk wij eigenlijk zijn. Denk aan de Gouden Eeuw en aan al die koloniën waar ooit de Nederlandse vlag wapperde. We moeten weer trots worden op ons land, hield Mussert ons voor. Tja, en dat er dan af en toe ook vervelende dingen gebeuren...'

'Meneer en mevrouw De Vries zijn keurige mensen die geen vlieg kwaad doen,' zei Lex. 'En trouwens, zij horen ook bij ons geweldige volk. Zij wonen al hun hele leven in Nederland.'

'Nee, Lex, dat moet je op langere termijn bekijken.' Lex' moeder was weer de oude. 'De Joodse mensen in ons land zijn allemaal later gekomen en ook al wonen ze hier een tijdje, ze blijven toch anders. Ze hebben een ander geloof, eten andere dingen.'

'En moeten ze daarom naar werkkampen gestuurd worden?'

'Jongen toch, geloof jij die fabeltjes? En trouwens, van een beetje werken is nog nooit iemand slechter geworden. Dat leert mensen nederigheid.'

'U wilt nog steeds wraak nemen op die arrogante mensen bij wie u indertijd werkte,' zei Lex boos.

Zijn moeder sloeg zo hard met de vuist op tafel dat het servies rinkelde. 'Snotaap die je bent. Je bent al even arrogant. Ik zal je nog wat extra informatie geven. Toen je vader in 1931 ontslagen werd, was zijn baan niet overbodig, maar nam een Jood het van hem over.'

'Cohen had ook een hogere opleiding, liefje.'

'Sukkel die je bent. Hij heeft gewoon de baan onder je kont weg gestolen.'

Vader lachte een beetje geforceerd. 'O jee, nu heb je je moeder echt boos gekregen,' zei hij.

Lex vond opeens dat zijn vader er belachelijk uitzag in dat uniform.

BEKENDMAKING VAN DEN COMMISSARIS-GENERAAL VAN DE OPENBARE VEILIGHEID OVER DE KENTEEKENING VAN DE JODEN IN NEDERLAND.

Op grond van par. 45 van de Verordening nr. 138/41 van den Rijkscommissaris van het bezette Nederlandsche gebied betreffende de openbare veiligheid geef ik hiermee de volgende orders:

1. *Een jood, die zich in het openbaar vertoont, moet een Jodenster dragen.*
2. *Kinderen onder 6 jaren vallen niet onder het kenteeken.*
3. *De Jodenster bestaat uit een zwart geteekende zespuntige ster uit gele stof, ter grootte van een handpalm, met het zwarte opschrift 'jood'. Deze moet zichtbaar en vast opgenaaid aan den linkerkant ter borsthoogte van het kleedingstuk gedragen worden.*

Deze politieverordening treedt drie dagen na haar afkondiging in werking.

Den Haag, 29 April 1942.

Der Generalkommissar für das Sicherheitswesen und Höhere SS- und Polizeiführer

Gez. RAUTER

April 1942

Twee maanden lang had Simon hen ontweken. Zijn nieuwe school lag ook in Den Bosch, maar hij fietste alleen. Zijn woede was zo groot dat er geen plaats voor hen was. Roos fietste wel met hen mee. 'Natuurlijk ben ik niet boos,' had ze gezegd. 'Ik kan het jullie moeilijk kwalijk nemen dat Joden naar speciale scholen moeten gaan.' Nee, boos was ze niet, maar haar uitbundigheid was verdwenen, merkte Lex. Hij vond ook dat ze er bleek uitzag en ze leek zelfs minder sterk. Soms pakte ze zich halverwege Den Bosch aan Lex' arm vast en liet ze zich trekken. Lex vond het niet erg. Op een ochtend had Simon er weer gestaan. Hij deed net alsof het de gewoonste zaak van de wereld was en praatte alsof hij hen niet maanden had genegeerd. De hele winter zochten ze elkaar als vanouds op, om huiswerk te maken, om over de Duitsers te praten of gewoon om lol te maken.

'Zeg, zou onze hut er nog zijn?' vroeg Roos op een dag eind april.

Lex moest even nadenken voor hij wist waar ze het over had. 'Dat is bijna drie jaar geleden,' zei hij toen. 'Ik heb geen idee. Is iemand van jullie er ooit nog geweest?'

Peter, Simon en Roos schudden hun hoofd.

'Dan is er maar één manier om erachter te komen,' zei Lex. 'We moeten gaan kijken.'

'Ik hoopte al dat je dat zou zeggen.' Roos keek inderdaad opgelucht. 'Ik heb jullie advies nodig. Eigenlijk moeten Simon en ik jullie iets vertellen. En de hut lijkt de juiste plaats... Toen was alles nog normaal. Zullen we er morgen na de middag samenkomen?'

Het was de eerste mooie voorjaarsdag van het jaar en Lex fietste fluitend naar de Vughtse hei. De weg naar de hut wist hij nog wel te vinden, maar de bomen en struiken waren een stuk groter geworden. Toen hij zijn fiets bij de boom neerzette, zag hij dat hij de eerste was. De struiken stonden nu zo dicht op elkaar dat hij zich met moeite een weg moest banen. Hier was de afgelopen tijd niemand geweest, zoveel was zeker. Bijna was hij langs hun bouwwerk heen gelopen. Het was nagenoeg onzichtbaar. Hij wierp snel een blik naar binnen. Er stond een laagje water van een centimeter of tien en het rook weinig aantrekkelijk. Lex spreidde zijn jas uit tussen de varens en ging zo liggen dat een straaltje zon nog net op zijn gezicht viel. Zijn ogen voelden zwaar aan en langzaam zakte hij weg in een middagslaapje. Alleen jammer dat er ergens verderop een vrachtauto zoveel kabaal maakte.

Een kus op zijn voorhoofd maakte hem wakker. Roos had zich over hem heen gebogen en keek hem recht in de ogen. 'Jij hebt toch geen schoonheidsslaapje nodig,' zei ze.

Kijk, dat was nog eens prettig wakker worden, dacht Lex. Als ze nou niet zo zorgelijk had gekeken, was alles zoals het zijn moest.

'Je hebt me wel nieuwsgierig gemaakt,' zei hij. 'Wat ga je ons vertellen?'

Roos negeerde de vraag en tilde een tak op om in de hut te kijken. 'Poeh, wat een stank,' zei ze. 'Daar kunnen we niet naar binnen gaan.'

Lex schoof een eindje op en wees op zijn jas. 'Hier is nog plaats.'

Roos ging zitten en legde haar hoofd op Lex' schouder. 'Hoe kunnen zulke foute ouders toch zo'n lieve zoon hebben.'

'Volgens mij zijn mijn ouders niet zo fout,' zei Lex. Hij ergerde zich steeds meer aan het gevit op zijn vader en moeder. Dat hij het zelf niet met hen eens was, was een andere zaak.

Maar zijn vrienden moesten hun mond houden over zijn ouders. Hij wist heus wel dat er in het dorp gepraat werd over 'die NSB'ers'. Het gekke was dat ze volgens Lex op hun manier alleen het beste voor hadden met de mensen in Vught. Zijn vader kreeg zelfs dingen voor elkaar vanwege zijn connecties met de NSB. Waarom keken de mensen toch niet verder dan dat uniform?

'Ben je het er wel mee eens dat jij lief bent?'

'Als jij het zegt.'

'Dat doe ik en dat vind ik al jaren. Wat ik dus eigenlijk wilde zeggen was: hoe kunnen niet zo foute ouders zo'n lieve zoon hebben? Is dat beter?'

Lex knikte.

'Gelukkig, want het laatste wat ik vandaag wil is ruziemaken met jou.'

Toen Peter en Simon arriveerden, luidruchtig als altijd, sprong Roos op om ze te begroeten.

Van Lex hadden ze nog wel even mogen wegblijven. Ook hij kwam overeind. 'Zo, en nu wil ik weten waarom we hier zijn,' zei hij.

Zowel Roos als Simon hielden meteen op met praten en keken elkaar aarzelend aan. In de stilte die viel was opeens de dieselmotor weer hoorbaar die Lex eerder die middag al had gestoord.

Simon keek van Lex naar Peter. 'We wilden jullie morgen niet laten schrikken.' Hij voelde in zijn broekzak en haalde een stukje stof tevoorschijn. 'Als we morgen naar school gaan, moeten we dit op onze jas dragen.'

Peter pakte het ding aan, keek ernaar en spuugde toen met een vies gezicht op de grond.

Toen was het Lex' beurt. Hij zag een gele ster met zwart opschrift. In van die Duitse letters stond er het woord *Jood* op.

'Waarom gaan jullie dat in vredesnaam dragen?'

Simon schudde zijn hoofd. 'Onze Lex heeft nog steeds niet door wat er om hem heen gebeurt,' zei hij schamper. 'Het is een bevel van de Duitse bezetter, jongen.'

'Doe niet zo flauw,' zei Roos. 'Wij weten het ook pas sinds een week.' Ze pakte de ster uit Lex' hand en hield ze tegen haar borst. 'Staat het een beetje bij de kleur van mijn haren?' Het grapje mislukte omdat haar ogen er zo triest bij keken. 'Vanaf morgen moeten alle Joden zo'n ding dragen. De Duitsers willen ons meteen kunnen herkennen op straat.'

Peter had een vuurrood hoofd gekregen. 'Die moffen...' De woorden stokten even in zijn woede. 'Het moet niet gekker worden,' zei hij ten slotte.

Simon knikte. 'Mijn oom en tante hadden gelijk,' zei hij toonloos. 'Dit is allemaal al eerder gebeurd, in Duitsland. We worden afgescheiden van de rest van de bevolking. Eigen scholen. In Amsterdam mogen Joden al niet meer buiten hun eigen wijken komen. En nu, met zo'n ster, zijn we helemaal een aparte soort. De volgende stap is dat we opgepakt worden en dan...'

'Ho, ho.' Peter stak zijn hand op alsof hij een auto wilde stoppen. 'We zijn hier niet in Duitsland. De Nederlandse mensen zullen niet toestaan dat hun landgenoten iets wordt aangedaan.'

Simon siste tussen zijn tanden. Voor hij iets kon zeggen legde Roos een hand op zijn arm. 'Het is lief van je dat je dat denkt, Peter, maar onze familie in Duitsland dacht ook dat de gewone mensen op hun werk of in de buurt hen wel zouden beschermen tegen die schreeuwers van Hitler. Het is anders gelopen. We moeten realistisch zijn.'

'Jullie moeten gewoon weigeren die dingen te dragen,' zei Lex. 'Het is te gek voor woorden. Dit is een fatsoenlijk land. Niemand kan jullie verplichten... Trouwens, hoe kunnen ze controleren of alle Joden die ster dragen?'

Simon zuchtte. 'In de bevolkingsregisters staat keurig opgetekend wie een of meer Joodse ouders en grootouders heeft. Het is voor de Duitsers heel eenvoudig op te vragen. En dan kunnen ze ons in de gaten houden. De straffen op het niet dragen zijn...'

'Je kunt er ook niet van op aan dat de mensen in Vught ons beschermen. Eén verklikker is voldoende om ons aan te geven,' zei Roos.

'Ik kan niet geloven...' probeerde Lex nog.

Peter onderbrak hem. 'Jij zou beter moeten weten. Jouw moeder maakte al onderscheid voor de Duitsers hier binnenvielen. Herinner je je dat gesprek bij de kerk nog?'

Lex keek zo ongelukkig dat zelfs Simon hem te hulp schoot. 'We weten heus wel dat jij ons niet zou aangeven, maar niet iedereen is te vertrouwen. Heeft er iemand geprotesteerd toen wij naar aparte scholen moesten? De mooie woorden van die directeur van jullie hebben niet echt geholpen.'

'Hoor je wel wat je zegt, Simon?' Opeens stroomden de tranen over Roos haar wangen. 'Je hebt het over die directeur van jullie. Zo maak je zelf al een verschil tussen "jullie" en "wij". Op die manier hebben we de Duitsers niet eens nodig.'

Lex had zich nog nooit zo beroerd gevoeld als op dit moment. Hij wilde Roos tegen zich aan trekken om haar te troosten, maar hij wist niet of dat wel mocht. En dus stond hij er onhandig en doodongelukkig bij en keek toe toen Simon zijn zus probeerde te kalmeren.

'Wat is dat trouwens voor kabaal?' vroeg Roos na een paar minuten. 'Een mens kan hier niet eens rustig huilen.' Haar stem beefde nog een beetje, maar er was weer een dun lachje op haar gezicht te zien.

Lex was blij dat ze over iets anders begonnen. Hij wees naar de noordelijke rand van het bos. 'Er rijdt al de hele middag een auto. Misschien wel meer auto's. Wat ze daar doen weet ik niet.'

'Er is maar één manier om daarachter te komen,' zei Peter. Ook hij klonk opgelucht. 'We fietsen langs die kant terug naar huis.' Hij gaf het voorbeeld door al naar de fietsen te lopen. Hij keek nog even om naar Roos. 'De kleur staat trouwens prachtig bij je haren. Alles staat jou prachtig.'
Lex wilde dat hij dat had gezegd.

Het pad in de richting van Cromvoirt werd in de zomer misschien door wandelaars gebruikt, maar in de winter kwam er niemand. Daarom hadden ze nu moeite het te volgen. De lage struiken bedekten het zand en nu de nieuwe bladeren aan de bomen de zon weghielden, moesten ze af en toe van hun fiets stappen om te zien hoe ze verder moesten. Zo ploeterden ze door het rulle zand tot het zweet op hun voorhoofd stond.

Langzaamaan werd de begroeiing minder dik. De stukken heide wonnen het hier van de bomen. Nu ze verder konden kijken zagen ze vrachtauto's die ze al gehoord hadden. Ze stonden bij elkaar, een paar honderd meter van Lex en zijn vrienden verwijderd. De chauffeurs rookten verveeld hun sigaretten. Tussen de bomen door zagen ze twee mannen die druk aan het werk waren. De een stond met een paal in het veld. De ander tuurde door een soort verrekijker op een statief en wees zijn collega waar hij moest staan.

'Landmeters,' zei Peter. 'Ze gaan hier kennelijk iets bouwen.'

Roos keek verbaasd. 'Wie wil er nou hier midden op de hei bouwen?'

Peter haalde zijn schouders op. 'Geen idee. Misschien een nieuwe kazerne voor de Duitsers. Kijk maar, bij die vrachtauto's staan allemaal Duitse militairen.'

'We gaan er gewoon nog wat dichter naartoe,' zei Simon. 'Er staat hier nergens dat dat niet mag.'

Nog voor iemand kon antwoorden dook een man in het

zwarte uniform van de NSB naast hen op. Ze waren zo druk bezig geweest met het turen in de verte dat ze hem niet hadden zien aankomen.

De man was in een opperbeste stemming. Het geweer hing losjes over zijn schouder, en zijn pet had hij tussen zijn broeksband gestoken. Het was een mooie voorjaarsdag en hier patrouilleren was geen straf, dat was wel duidelijk.

'Zo jongelui, op fietstocht?' Hij wachtte niet op een antwoord. 'Hier kunnen jullie jammer genoeg niet verder. Onze vrienden daar willen niet gestoord worden en ik moet daarvoor zorgen.'

'We zijn op weg naar Vught,' verzuchtte Roos. 'Moeten we weer helemaal terug over dat kolerepad.'

De man leek nu pas te zien dat er een meisje bij was. Hij bekeek haar geamuseerd. 'Nee hoor, jongedame. Jullie kunnen het pad volgen waarover ik gekomen ben. Dat loopt rond dit gebied en een kilometer verderop kun je weer afbuigen naar Vught over de oude weg.'

'Dank u wel, meneer,' zei Roos.

Lex en Peter keken elkaar verbaasd aan.

'Nou, zullen we dan maar,' zei Simon korzelig. Hij sprong op zijn fiets.

Roos glimlachte nog steeds naar de NSB'er. 'Weet u misschien wat er hier gebouwd wordt?' vroeg ze allervriendelijkst.

'Ja, maar daar mag ik natuurlijk niets over zeggen,' zei de man. Hij keek opeens alsof hij de verantwoordelijkheid voor de hele bouw droeg.

'Ik denk eerlijk gezegd dat u het ook niet weet,' zei Roos, terwijl ze haar fiets achter Simon aanduwde. 'De Duitsers houden dat natuurlijk geheim. Een prettige dag nog verder.'

'Wij zijn precies op de hoogte.' Er klonk duidelijk verontwaardiging in de stem van de NSB'er. 'Hier komt binnen een paar maanden *Konzentrationslager Herzogenbusch.*'

'O,' zei Roos. 'Klinkt heel Duits. Wat is een koncen... dinges?'

'*Lager* betekent kamp,' zei de man gewichtig. 'Wat ze er precies mee gaan doen weet ik ook niet. Zo, en nu wegwezen jullie.'

Ze fietsten zonder iets te zeggen achter elkaar tot ze de weg van Cromvoirt naar Vught bereikten. Toen ze net weer richting Vught reden zagen ze tot hun verbazing Peters vader uit de struiken komen.

'Wat voeren jullie hier uit?' vroeg hij.

Peter keek alsof hij ergens op betrapt was. 'Fietsen,' zei hij. 'Het is zulk mooi weer en we hadden vrij vanmiddag.'

'Al goed, jongen. Maar het is hier niet ongevaarlijk. Hebben de Duitsers jullie niet aangehouden? Je mag daar helemaal niet komen.' Hij wees op een bord achter hen met het opschrift *Eintritt Verboten.*

'Op het smalle bospad dat wij hebben genomen stond er niet zo'n bord,' zei Lex.

Peters vader knikte, in gedachten verzonken. 'Ik vraag me af wat ze daar gaan bouwen,' zei hij.

'*Konzentrationslager Herzogenbusch*,' zei Roos. Nu hoefde ze zich niet dommer voor te doen dan ze was.

'Hoe weten jullie dat?' Peters vader keek Roos stomverbaasd aan.

'Gewoon, gevraagd,' zei Roos. 'Dag.'

Op de terugweg was Peter stiller dan gebruikelijk.

'Wat is er met jou?' vroeg Lex.

'Mijn vader vroeg mij wat ik daarginds uitvoerde,' zei Peter. 'Maar ik vraag me af wat hij daar zelf uitvoerde.'

Het mooie weer had zelfs vat op Lex' moeder. Ze was gekleed in een gele zomerjurk en dekte neuriënd de tafel op het terras.

54

'Ga snel je handen wassen, we kunnen aan tafel,' zei ze.

Vijf minuten later zaten ze te eten. 'Is het niet heerlijk, hier buiten?'

'Ja, schat.' Lex' vader was in gedachten verzonken en had waarschijnlijk niet eens gehoord wat zijn vrouw precies zei.

Lex zei helemaal niets en at.

'Wat zijn jullie weer gezellig. Sloof ik me daarvoor uit?'

'Ik vind het heel leuk om buiten te eten, mam, en het is echt lekker, maar ik ben met mijn hoofd nog steeds op de hei. Vanmiddag zijn we...' zei Lex.

Zijn vader schrok duidelijk. 'Zijn jullie op de hei geweest? Richting Cromvoirt?'

Lex knikte alleen.

'Stommeling! Dat is vanaf deze week verboden gebied. Er wordt daar een groot project uitgevoerd en de militairen hebben zelfs toestemming om met scherp te schieten als er boycotacties zijn.'

'Rustig maar. We waren gewoon aan het fietsen en werden nieuwsgierig toen we die vrachtauto's zagen. De enige die we tegenkwamen was een praatgrage NSB'er.' Lex realiseerde zich dat hij automatisch verzweeg dat ze ook Peters vader hadden ontmoet.

'Wie wil er nog soep?' vroeg zijn moeder. Haar gezicht was nu ook minder vrolijk. Haar etentje liep anders dan ze had verwacht. 'Wat is dat voor project trouwens? Daar heb je me niets over verteld.'

'Er komt een nieuw *Konzentrationslager* op de hei hier. Wij noemen het Kamp Vught.'

Lex zag aan het gezicht van zijn vader dat dit niet zijn favoriete gespreksonderwerp was. Nou jammer dan, Lex wilde toch echt weten wat voor kamp er gebouwd zou worden. 'Is het een soort kazerne?'

'Zo zou je het kunnen noemen, maar er worden geen militairen gevestigd. Meer mag ik niet zeggen. Het is een tamelijk geheim plan.'

'Kom nou, Frits, doe niet zo flauw. Dit is je eigen gezin. Hier zitten toch geen landverraders? Zeg op, waar dient dat kamp voor?'

'De kampen in Amersfoort en Westerbork zijn overvol,' zei Lex' vader. 'Daar kunnen ze niemand meer kwijt en dus moet in Kamp Vught voldoende ruimte komen om nieuwe inwoners op te nemen.'

'En wat voor "inwoners" zijn dat dan?' Lex' moeder had haar neus in afwachting van het antwoord alvast opgetrokken.

'Ach, communisten, zigeuners, verzetsmensen en zo.'

Lex zat opeens muisstil. 'En zo?'

Zijn vader keek hem ongemakkelijk aan. 'Uiteindelijk zullen waarschijnlijk ook onze Joodse medeburgers in die kampen ondergebracht worden, vrees ik.'

'Goed, geef jullie borden maar aan, dan haal ik de rest.'

Lex geloofde zijn oren niet. 'Mam, hoor je wel wat papa zegt? Onze Joodse medeburgers, dat gaat ook over Roos en Simon en hun ouders, hoor.'

'Ik weet het, jongen, ik weet het, maar daar kunnen wij hier vanmiddag toch echt niets aan veranderen.' Ze pakte de borden van tafel. 'Ik denk ook dat iedereen die in zulke kampen terechtkomt, dat verdient. We moeten de openbare orde bewaren en er zijn nog steeds mensen die de overheid dwarszitten. Sabotage is aan de orde van de dag.'

'Toch niet door meneer De Vries?' zei Lex verontwaardigd.

Zijn moeder aarzelde even, haalde toen haar schouders op en liep naar de keuken.

'Ik begrijp niet wat jullie bezielt, pap,' zei Lex boos. 'Vanmiddag hoorde ik van Simon en Roos dat ze een ster op hun kleren moeten dragen. Het ontbreekt er nog maar aan dat ze als vee gebrandmerkt worden.'

'Ik denk niet dat onze leider deze maatregelen heeft bedacht. We krijgen steeds vaker rechtstreekse orders uit Berlijn. Bij het begin van de oorlog dachten we nog dat Mussert in feite de leiding zou krijgen, maar... Afijn, de dingen lopen niet altijd zoals je het zou willen.'

'Maar dan kun je er toch tegen protesteren,' riep Lex.

'Zeg, kan het een beetje rustiger.' Zijn moeder kwam met drie borden op een dienblad naar buiten. 'Wat moeten de buren wel niet denken van zulk geschreeuw?'

'De buren denken toch al van alles over "die NSB'ers",' zei Lex. 'Dit kan er ook nog wel bij.'

'Over een paar jaar zal iedereen zich herinneren dat wij meteen de juiste kant hebben gekozen,' zei zijn moeder. 'En nu eten.'

Lex schoof het bord met een vies gezicht van zich af. 'Ik begrijp niet dat jullie gezellig kunnen eten, terwijl je weet dat mijn vrienden misschien naar een kamp gestuurd worden.'

'Ach jongen, wat dramatiseer je weer. Zulke maatregelen zijn maar van tijdelijke aard. En dan, een paar maanden op de hei wonen is zo gek nog niet. Ik denk dat veel mensen uit de grote stad niet zullen weten wat ze overkomt. Gratis vakantie!'

Ze meent het echt, dacht Lex. Hoe kan iemand zo blind zijn? Ze moet toch ook hebben gehoord dat er in Duitsland geen sprake was van vakantieparken?

Zijn vader voelde zich gesteund en leefde weer op. 'In de komende maanden zullen trouwens honderden bouwvakkers werk hebben bij het aanleggen van het kamp. Reken maar dat er heel wat dorpen op de Veluwe zijn die graag met ons zouden ruilen. Voorlopig is er rond Vught geen werkloosheid meer.'

'Hoor je dat, jongen? Je vader heeft alleen maar het beste voor met iedereen. Kom, wees nu niet zo koppig en eet je bord leeg.'

24 september 1942.
Rauter, Hoofdcommissaris voor de Veiligheid in het bezette
Nederland aan SS-leider Himmler:

'Reichsführer!

Ik breng u bij dezen een tussenrapport uit over het opruimen van
de Joden.

Tot nu toe hebben wij, samen met de als strafmaatregel naar
Mauthausen gestuurden, de afvoer van 20.000 Joden naar
Auschwitz in gang gezet. In heel Holland komen 120.000 Joden
voor afvoer in aanmerking. Daarin zijn ook de 'mengjoden'
opgenomen die vooralsnog hier mogen blijven.'

Januari 1943

In de rest van 1942 was het in Vught rustig, maar Lex hoorde op school wat er zich in de rest van het land afspeelde. De Duitsers lieten steeds vaker hun werkelijke gezicht zien. Weg waren de vriendelijke soldaten uit de eerste oorlogsmaanden die nog probeerden de harten van de Nederlanders te winnen. In plaats daarvan kwam het naakte geweld van de SS en de Veiligheidsdienst. Toen de Amsterdammers massaal staakten om te protesteren tegen het wegvoeren van hun Joodse stadgenoten, sloegen de Duitsers dat protest bloedig neer. En dat was nog maar het begin geweest. Zo af en toe ging er onder de leerlingen een illegaal pamflet van hand tot hand. Niemand wist van wie het kwam, maar de inhoud schokte Lex tot op het bot. Hij las dat executies van mensen die in het verzet zaten steeds openlijker plaatsvonden. Zo moesten de brave burgers afgeschrikt worden. Voor Joden werd de situatie met de dag benauwder. Lex las met afkeer de mededelingen die op veel openbare gebouwen waren aangeplakt. Joden mochten niet meer naar bioscopen, bibliotheken en cafés. De maatregelen werden steeds vernederender. Op het schoolplein gaven nu ook de optimisten toe dat dit helemaal fout liep.

Op de avond van eerste kerstdag 1942 zagen inwoners van Vught tot hun verbazing hoe de familie De Vries op bezoek ging bij de ouders van Peter. Lex was erbij toen de uitnodiging werd besproken en hoorde dat Peters moeder geen moeite hoefde te doen om haar man te overtuigen. Hij vond ook dat er eens iemand moest laten zien dat er nog fatsoenlijke Nederlanders waren. En bovendien, het werd voor Joodse mensen steeds moeilijker om dingen te kopen. Aan hun tafel was plaats genoeg. Tenminste, als de familie Kerstmis wilde vieren met een katholiek gezin. De uitnodiging, een paar dagen voor Kerstmis door Peter overgebracht, werd enthousiast aangenomen. Nee, had de vader van Simon en Roos gezegd, we zijn niet christelijk, maar we zijn zo mogelijk nog minder joods, al denken de Duitsers daar anders over. We vieren het kerstfeest altijd al zoals jullie. Mevrouw De Vries had een tulband gebakken om aan het feest bij te dragen. Na een half uur leek het erop alsof de families al jaren bij elkaar over de vloer kwamen. Lex was er het eerste uur nog bij geweest. Toen moest hij naar huis, waar een officieel kerstdiner wachtte met vrienden van zijn ouders en een hoge Duitse officier. De weg van Peters huis naar het zijne was lang en koud.

En toen kwam die dag in januari 1943. Het was zo koud dat Lex en Peter niet met de fiets naar Den Bosch gingen, maar de trein zouden nemen.

Peter wreef in zijn handen toen ze hun fiets bij het station hadden gezet. 'Mijn handen vallen eraf. Simon en Roos boffen maar dat hun school is gesloten,' zei hij.

Lex knikte. Hij kende zijn vriend lang genoeg om te weten dat die het sarcastisch bedoelde. 'Zeg dat wel,' zei hij bitter.

Roos en Simon waren helemaal niet blij toen ze te horen kregen dat ze voor onbeperkte tijd vrijaf kregen. Het was eerder een voorbode van dingen die hun nog te wachten stonden. In elk geval zouden ze hoe dan ook vandaag niet met de trein hebben kunnen reizen, want ook dat was nu voor Joden verboden.

'Wat is hier aan de hand?' Peter was de kou even vergeten en keek met open mond naar de lange trein die met veel gesis stopte. Het perron was helemaal afgezet door Duitse militairen met hun geweer in de aanslag.

Lex haalde zijn schouders op. Hij had geen idee wat er hier

gebeurde, maar opeens leek de winterochtend nog somberder dan vijf minuten geleden. Het vale licht van de dag die maar niet wilde beginnen, kleurde het hele tafereel grijs. De kolossale locomotief was in rook gehuld en de soldaten leken op schimmen, gewapende schimmen. Er hing plotseling een dreiging in de lucht die Lex benauwde.

Het werd nog erger. Uit het stationsgebouw kwamen twee figuren tevoorschijn met papieren in de hand. Lex kende de Duitse officier niet, maar uit zijn uniform leidde hij af dat dit een hoge meneer was. De andere man herkende hij wel meteen. Zijn vader stapte naast de officier naar de trein. Hij liep niet zo zelfverzekerd en keek steeds onderzoekend om zich heen. Uit de eerste wagon stapte een andere Duitser die even overlegde met de officier en Lex' vader op het perron. Toen klonken er bevelen door de stilte. De soldaten hielden op schimmen te zijn. Ze kwamen in beweging en stelden zich op in twee rijen. Zo vormden ze een smalle doorgang van de trein naar de straat.

Lex moest zich half omdraaien om de laatste soldaten te zien. Een bekende gestalte leidde hem af van wat er op het station gebeurde. Roos stond als versteend langs de weg. Hoe wist ze wat er hier gebeurde? En waarom liep ze hier opeens openlijk op straat? Ze hield een handtasje voor de ster op haar borst en haar gezicht was nog witter dan het normaal al was. Zelfs van deze afstand zag Lex dat ze rilde van de kou. Of was het iets anders dat haar deed rillen?

Opnieuw klonk er een harde Duitse stem vanaf het perron. De deuren van de trein werden opengegooid en meteen kwam er een stroom mensen op gang die na het uitstappen maar één kant op kon. Tussen de militairen door. Het waren mensen van alle leeftijden. De oudsten moesten ondersteund worden bij het uitstappen, de jongsten werden door hun moeder of vader nog op de arm gedragen. Veel van de volwassenen hadden een deken omgeslagen tegen de kou. Enkelen droegen een tas met zich mee die ze vastklemden alsof hun leven ervan afhing.

'Waar komen die vandaan?' vroeg Peter zich hardop af.

'Uit Amsterdam,' zei een stem achter hen. Peters vader was ook afgekomen op de plotselinge drukte. 'Hele gezinnen zijn daar opgepakt en op transport gezet. Een paar dagen terug waren het alleen mannen, politieke gevangenen uit het kamp in Amersfoort. Dat was ook verschrikkelijk om aan te zien, maar dit... Bejaarden en kleine kinderen.'

'Maar waar willen ze die mensen onderbrengen? Het kamp hier is toch nog niet gereed,' zei Lex.

'Nee. Deze mensen mogen hun eigen gevangenis afbouwen, ben ik bang. Hoe dat moet gaan in deze kou, zonder kachels en voorzieningen...'

Inmiddels liepen de eerste gevangenen al langs hen. Het gekke was dat ze zo stil waren. Alleen het gehuil van een baby verstoorde af en toe de stilte. Voor de rest zwegen de mensen. Hun gezichten stonden strak en ze keken recht voor zich uit. Niemand leek geïnteresseerd in de omgeving. Alsof het er niet toe deed waar ze terecht waren gekomen. En wat zagen ze er mager en verwaarloosd uit. Holle ogen stonden in smalle gezichten en het leek erop alsof ze al dagen niet uit de kleren waren geweest.

'Het zijn inderdaad bijna allemaal Joden,' zei Peters vader somber. 'De verhalen uit Amsterdam kloppen.'

Pas nu zag Lex alle gele sterren op de kleren. Onwillekeurig keek hij weer om. Hij zag Roos nog net weglopen, een beetje wankelend leek het wel. De aandrang om haar te volgen was sterk. Hij wilde haar vasthouden en troosten. Maar wat kon hij zeggen? Er viel niet op te praten tegen wat er hier gebeurde.

Toen de politieagent die voor hen stond, zich omdraaide,

herkende Lex de vader van een van hun klasgenoten. 'Waarom doen onze eigen politiemensen hieraan mee?' vroeg hij zich hardop af.

Peters vader zuchtte. 'Ze hebben geen keus. Als ze weigeren worden ze ontslagen of wie weet zelf opgesloten. Ik zou niet graag in hun schoenen staan. Zij verafschuwen dit even erg als wij.'

Hoeveel mensen konden er in één trein? Er kwam maar geen einde aan de stoet die zwijgend langs schuifelde. Er verschenen steeds meer mensen voor de ramen van de huizen. Een enkeling waagde zich zelfs naar buiten en keek vanuit de deuropening naar de treurige processie door de straten van Vught.

Niet iedereen liep even gemakkelijk. Een oude vrouw had de grootste moeite het tempo bij te benen. Ze steunde op een stok. Vlak voor Lex en Peter schoot die stok in een gat in de weg. Ze viel voorover op haar knieën en bleef zo liggen zonder te bewegen. De agent schoot naar voren om haar te helpen.

Een van de Duitse militairen had het gezien. Hij pakte de agent ruw bij de schouders. '*Verschwinde,*' zei hij. Vervolgens sleurde hij de vrouw zelf overeind en gaf haar een zet. Met een verdwaasde trek op haar gezicht schuifelde ze verder zonder een woord te zeggen.

'Schoften,' zei Peters vader, die zichtbaar trilde van woede. Hij draaide zich om en liep vloekend weg.

Aan de overkant van de straat was er plotseling een ander opstootje. De vrouw van de bakker stond met een zak broodjes langs de kant en deelde die uit aan de mensen die passeerden. Opeens kwam er leven in de stoet. Eten was kennelijk de moeite waard om je over op te winden. De mensen verdrongen elkaar om bij het brood te komen. Ook hier grepen militairen in. De vrouw werd weggestuurd. Ze deed maar een paar stappen terug en gooide toen met een woedend gezicht haar broodjes over de hoofden van de militairen. Weer ging er een golf van opwinding door de stoet. Even maar. Toen alle broodjes op waren liep men weer door alsof er niets gebeurd was. Lex zag hoe een vader een broodje in tweeën brak en aan zijn kinderen gaf. Ze straalden.

De klap tegen Lex' achterhoofd kwam als een volslagen verrassing. 'Ben je nu trots? Wat hebben die arme mensen ons misdaan?'

Lex draaide zich snel om en keek in de boze ogen van een man die hij niet kende.

'Jullie kunnen nu wel denken dat jullie Duitse vriendjes je zullen beschermen, maar denk erom, onze tijd komt ook weer en dan weten we jullie te vinden,' zei de man nog en hij verdween toen snel.

Aan de gezichten van andere toeschouwers zag hij dat ze even ontdaan waren als hij. In hem zagen ze de vijand. Hij was toch de zoon van die NSB'er? Iedereen keek langs hem heen alsof hij er niet stond.

Peter trok aan zijn arm. 'Trek je er niets van aan. Ze kennen je niet. Kom, we gaan voor er nog meer mensen lef krijgen.'

Het duurde even voor Lex zijn vriend volgde. Hij was volkomen beduusd. Hoe konden mensen nu denken dat hij…? Hij keek nog een keer naar het perron waar steeds nieuwe mensen uit de trein stapten. Zijn vader stond erbij in zijn zwarte uniform en glimmende laarzen en keek alsof hem dit alles niet aanging.

Natuurlijk namen ze niet de trein naar school. Zonder erover te praten liepen ze terug, hun fiets aan de hand. Ze waren alle twee zo vol van wat ze gezien hadden dat ze zwegen zoals de mensen uit de trein. Peter zwaaide alleen maar voor hij het tuinhek van zijn huis binnenging. Lex sprong op de fiets en trapte langzaam naar huis. Met elke trap werd de aandrang groter om hard te fietsen. Zijn benen gehoorzaamden en binnen de kortste keren fietste hij zo hard dat zijn ogen traanden van de koude wind. Hij nam het pad richting hei zonder erbij na te denken. Het deed er ook niet toe waar hij heen fietste. Hij wilde alleen de spanning kwijt die zich in zijn lijf had opgehoopt. Bij de bosrand keerde hij om en keek even hijgend naar het dorp. De huizen zagen er precies hetzelfde uit als een paar jaar geleden, maar de wereld was helemaal veranderd. Wie had toen kunnen voorspellen dat mensen als vee door Vught geleid zouden worden? Ook nu hij stilstond rolden de tranen langs zijn wangen. Het was dus toch niet de wind geweest.

Zijn moeder was nog steeds in ochtendjas gekleed en gooide net nieuwe kolen in de kachel toen hij binnenkwam. Ze keek verbaasd op. 'Waarom ben jij alweer terug? Was er geen trein?'

'O jawel, er was een trein,' zei Lex en hij stormde de trap op. Hij sloot de deur achter zich en viel languit op zijn bed.

Meteen hoorde hij zijn moeder ook de trap op komen. Ze klopte op zijn deur. 'Lex?'

Hij weigerde te antwoorden. Zijn moeder had tot nu toe alle acties van de Duitsers verdedigd en dit zou ze vast ook zo draaien dat het goed was. Ze kon barsten!

'Lex, jongen, zeg toch wat. Is er iets gebeurd?'

Ja, dat mocht je wel zeggen. Hij had gezien dat zijn vader meewerkte aan iets verschrikkelijks. Die brave ambtenaar had stilzwijgend toegekeken terwijl mede-Nederlanders beestachtig behandeld werden.

'Lex, nou is het welletjes. Je opent die deur en wel onmiddellijk!'

Het doodsbleke gezicht van Roos! Ze had meteen begrepen dat ze indertijd hadden moeten vluchten. Nu zaten ze in de val. Hoe lang zou het nog duren voor zij met haar familie weggevoerd zou worden?

Zijn moeder was intussen weer naar beneden gegaan. Hij hoorde haar in de gang de telefoon van de haak pakken. Even later praatte ze druk tegen iemand die geen kans kreeg te antwoorden. Wat ze zei, kon Lex niet horen. Wel dat ze erg opgewonden was.

Tien minuten later stopte een auto voor de deur. De afgelopen maanden was de positie van zijn vader zo belangrijk geworden dat een Duitse militair als zijn chauffeur dienstdeed. Sinds die tijd praatte zelfs Lex' moeder met meer ontzag tegen haar man. En hij zelf groeide steeds meer in zijn rol.

Aan de manier waarop zijn vader de trap nam hoorde Lex dat hij woedend was. 'Hoezo, doet niet open? Sinds wanneer laten we kinderen uitmaken wat er hier in huis gebeurt?' Zonder op antwoord te wachten bonkte hij op Lex' deur. 'Maak die deur open of ik trap hem in.'

Lex wilde het er niet op aan laten komen. Zijn vader was de afgelopen jaren een andere man geworden. Niet iemand met wie je ruzie wilde krijgen. Met tegenzin stond hij op en opende de deur. Toen liet hij zich weer op bed vallen. Hij weigerde naar de deur te kijken.

Zijn vader gooide de deur zo hard open dat hij tegen de muur sloeg. 'Wat is hier aan de hand? Waarom maak jij je moeder zo van streek?'

Lex haalde diep adem. 'Dat weet je heel goed,' zei hij toen.

'Sinds wanneer mag jij me aanspreken met "jij", snotneus die je bent?'

'Dat weet u verdomde goed,' zei Lex. Hij legde extra nadruk op het 'u'. 'Ik heb u gezien vanmorgen.'

'Als je mij gezien hebt vanmorgen, dan zou je trots moeten zijn. Ik heb samen met de commandant van het nieuwe kamp een moeilijke klus geklaard. Voor de dag goed en wel

66

begonnen was, zat dat tuig dat we uit Amsterdam aangeleverd kregen al achter slot en grendel. De meeste mensen in Vught hebben het niet eens gemerkt.'

'O, maar er waren er genoeg die u wel hebben gezien,' zei Lex. 'Eentje heeft mij zelfs geslagen om zijn woede op u af te reageren.'

'Wie was dat? Zo iemand riskeert zelf in het kamp terecht te komen. Wij worden door de Duitsers volledig beschermd.'

'Zolang de Duitsers hier nog de baas zijn.' Lex wist dat hij hoog spel speelde, maar hij kon het niet laten. 'Hebben jullie er al wel eens over nagedacht hoe het zal zijn als ze weg zijn? Waar willen jullie dan naartoe?'

Hij had op de zere plek gedrukt. Zijn vader stormde met opgeheven hand op hem af.

'Frits, alsjeblieft!' schreeuwde Lex' moeder vanuit de deuropening. Het werkte. Haar man bleef halverwege de deur en Lex' bed staan, kokend van woede. 'Kom nu alle twee maar naar beneden, dan kunnen we even rustig praten over wat er gebeurd is.'

Vijf minuten later zaten ze ongemakkelijk bijeen in de woonkamer. Door het raam zag Lex dat de chauffeur de motor liet lopen. Er hing een wolk van uitlaatgassen rond de auto.

'Nou, wie vertelt me wat er vanmorgen is gebeurd?' vroeg Lex' moeder.

Lex keek stuurs voor zich uit.

Zijn vader had zijn pet afgezet en keek boos van zijn zoon naar zijn vrouw. De eerste woede was gezakt. 'Vanochtend hebben we een volle trein met gevangenen voor het kamp gekregen. Het was een hele operatie en we wisten er pas sinds eergisteren van.'

'Daar heb je niets van verteld!'

Lex' vader negeerde de opmerking van zijn vrouw. 'Toch is

alles vlekkeloos verlopen. Binnen twee uren was iedereen in het kamp.'

'Ik dacht dat dat pas over een paar maanden klaar zou zijn.'

'Nood breekt wet. In andere kampen zitten al zoveel gevangenen dat de situatie onhoudbaar is. We moeten onze deuren dus vroeger openen. En trouwens, het heeft voordelen ook. De nieuwe gevangenen worden ingezet om het kamp af te bouwen en een gracht te graven. Dat is goedkoper dan wanneer we arbeiders van hier inhuren.'

'Maar hoe moeten die mensen dan in de tussentijd leven? Er zijn nog helemaal geen voorzieningen. Heb jij dat allemaal bedacht?' vroeg Lex' moeder.

Lex' vader negeerde de kritische toon. 'Ik heb de plannen gemaakt samen met Karl.'

Karl Walter Chmielewski was de commandant van het kamp, wist Lex. Door de man bij de voornaam te noemen benadrukte zijn vader nog maar eens hoe belangrijk hij was geworden.

'Gaan Karl en jij de bejaarden ook laten werken?' vroeg hij.

Zijn vader wierp hem een woedende blik toe. 'Natuurlijk niet. De Joden zijn vrijgesteld van werkzaamheden. We zetten alleen de politieke gevangenen aan het werk en dan nog alleen de mannen en vrouwen die daartoe in staat zijn.'

Lex snoof verontwaardigd. 'Van wat ik gezien heb vanmorgen, zijn dat er niet veel. Zelfs de jonge mannen zagen er ondervoed en zwak uit. Wat hebben jullie met hen gedaan?'

'Ben ik nu opeens verantwoordelijk voor wat er elders gebeurt? Ik heb de opdracht hier toezicht te houden op het vervoer naar het kamp, omdat de Duitsers de burgemeester dat niet toevertrouwen. En ik verzeker je dat er hier heel menselijk met de gevangenen zal worden omgegaan.'

Lex' moeder had zwijgend geluisterd. 'Wat voor mensen zijn het eigenlijk?' vroeg ze toen het even stil was.

'Allerlei volk dat niet in contact mag komen met de gewone bevolking. Saboteurs, communisten, zigeuners, sodomieten...'

'En Joden natuurlijk, vooral Joden,' voegde Lex toe, terwijl hij zich afvroeg wat sodomieten waren.

'Ja, ook Joden. Als we voor raszuiverheid willen zorgen, is het goed de contacten tussen Joden en ariërs zo beperkt mogelijk te houden.'

Lex' moeder keek afkeurend. Toch herinnerde Lex zich dat ze zelf ook over raszuiverheid had gepraat met Peters ouders. Maar goed, toen werden er nog geen mensen in treinen gestopt en naar een kamp gebracht. Zijn moeder had indertijd alles geloofd wat haar voorgehouden werd, zonder goed na te denken. Nu ze de manier zag waarmee de Duitsers voor raszuiverheid wilden zorgen, deinsde ze terug. Dit was nooit haar bedoeling geweest.

'Hoe lang houden jullie die mensen in het kamp?' vroeg ze. 'Ik bedoel, komen ze er ooit nog uit?'

'Ja, hoor eens, dat weet ik ook allemaal niet. Ik krijg mijn bevelen van hogerhand en ik voer ze uit. Klaar.'

'Nou, als jullie zo menselijk met de gevangenen willen omgaan, moet u daar toch eens over nadenken,' zei Lex. 'Komt er een school? Een ziekenhuis? Ik bedoel als die mensen er lang moeten blijven zijn er voorzieningen nodig.'

'Dat zal toch zeker,' zei zijn moeder. 'Ja toch, Frits?'

Lex' vader ging staan en keek demonstratief op zijn horloge. 'Reken er maar op dat aan al die dingen is gedacht. Ik heb werk te doen. En jij, jongeman, je pakt alsnog de eerste trein naar Den Bosch en gaat naar school.' Met die woorden stevende hij naar buiten.

'Ik begrijp nog steeds niet waarom jij zo boos was,' zei Lex' moeder hoofdschuddend.

'Daar was ik al bang voor,' zei Lex. Hij stond op, pakte zijn jas en tas en liep naar buiten. Het rook er naar Duitse auto's.

'Is Roos thuis?'

Lex piekerde er niet over naar school te gaan. Hij was rechtstreeks naar het huis van de familie De Vries gegaan. Het beeld van Roos bij het station wilde maar niet uit zijn hoofd verdwijnen. Ze had er zo ontredderd uitgezien.

'Ze is nogal van streek,' zei mevrouw De Vries. Ze had de deur op een kier geopend en alleen haar hoofd naar buiten gestoken. 'Misschien moeten we haar nu een tijdje met rust laten.'

'Wilt u haar alsjeblieft zeggen dat ik op haar wacht op de bank bij de kerk? Dan kan ze zelf beslissen of ze me wil zien?'

'Dat zal ik doen. Dag Lex.'

Vijf minuten later ging Roos zwijgend naast hem zitten. Haar ogen waren roodomrand en haar haren slordig onder een wollen muts weggestopt.

'Ik weet niet wat ik moet zeggen.' Lex pakte haar hand. 'Je hebt ijskoude handen. Kom hier.' Hij pakte haar handen in de zijne en probeerde ze zachtjes warm te wrijven.

'Hoe komt het toch dat zulke foute ouders zo'n lieve zoon hebben?' zei Roos zachtjes.

Lex had dit keer niet de behoefte te protesteren. Vanochtend was hem ook zelf duidelijk geworden dat hij echt anders was dan zijn ouders. Het deed pijn, dat wel, maar na vanochtend zou hij nooit meer voor zijn ouders voelen wat tot nu toe gebruikelijk was.

'Ik ben bang,' zei Roos opeens.

Lex knikte. 'Het was inderdaad een ellendig gezicht.'

'Alles wat mijn oom voorspeld heeft, komt uit. We worden steeds meer van de andere Nederlanders afgescheiden. Uiteindelijk weten jullie niet eens meer van ons bestaan en dan kunnen de Duitsers met ons doen wat ze willen.'

'Wil je alsjeblieft niet "jullie" zeggen!'

Roos zweeg even. 'Ik weet wat je bedoelt, maar het is nu eenmaal zo. Jij zult niet opgepakt worden. Ik wel. En Simon en mijn ouders. Wanneer precies weet ik niet, maar lang zal het niet duren.' 'Je weet dat ik je nooit zal vergeten, zelfs als je hier niet meer zou wonen. En trouwens, vanmorgen waren de meeste mensen langs de kant woedend. Een vrouw deelde broodjes uit.'

'Lief hoor, maar is het transport gestopt? Zijn de mensen uit Vught op de weg gaan staan en hebben ze het tegen de Duitsers opgenomen?'

'Nee, je weet dat ze daarmee groot gevaar hadden gelopen.'

'Juist. Woedend zijn is gemakkelijk, iets doen is moeilijker. Mijn vader is al weken bezig een onderduikadres te zoeken. Hij heeft niet-Joodse vrienden op verschillende plaatsen in het land. Niemand heeft plaats en ze zijn bang hun eigen gezin in gevaar te brengen.'

'Dat is best begrijpelijk.'

'Ja hoor, maar dan begrijp je ook waarom ik bang ben. We kunnen op niemand vertrouwen en zijn aan de Duitsers overgeleverd. Hoe goed die voor ons zorgen heb je vanmorgen kunnen zien.' Ze klonk opeens meer gelaten dan boos. 'Voorlopig zul je mij niet meer zien. We hebben afgesproken dat we zo veel mogelijk binnenblijven om geen aandacht te trekken. Moeder laat een vriendin boodschappen bezorgen en voor de rest zijn we onzichtbaar. Misschien vergeten ze ons wel.'

'Kan ik iets voor je doen?'

'Ik zou niet weten wat, Lex. Ja, mijn handen warmen, dank je wel. Maar voor de rest...' Ze stond abrupt op. 'Je bent heel lief, maar ook jij kunt me niet beschermen. Ga snel naar binnen, je bevriest hier zowat. Dag.'

Lex keek haar sprakeloos na.

Dinsdag 30 maart 1943.
De commissaris-generaal voor de openbare veiligheid Rauter
vaardigt een nieuwe beschikking uit:

'Artikel 1. Met ingang van 10 april 1943 is aan Joden het verblijf
in de provincies Friesland, Drenthe, Groningen, Overijssel,
Gelderland, Limburg, Noord-Brabant en Zeeland verboden.

Artikel 2. Joden, die zich op het ogenblik in de genoemde
provincies ophouden, moeten zich naar het kamp Vught
begeven.

Artikel 3. Bij het vertrek naar het kamp te Vught is het
medenemen van reisbagage en waardevoorwerpen toegestaan.
Voor het verlaten van hun woonplaats moeten de Joden zich
melden bij het hoofd van de plaatselijke politie, waar zij
woonachtig zijn, opdat hun woningen behoorlijk kunnen
worden afgesloten en aan hen een reisvergunning naar het
kamp te Vught kan worden verstrekt.'

April 1943

Het was begin april en het voorjaar deed af en toe net of er geen oorlog gaande was. Lex zat in de tuin met een schoolboek op schoot en probeerde zijn aandacht bij een lijst met Franse woordjes te houden. De zon was al zo fel dat hij de ogen sloot. Gedachteloos liet hij zich opwarmen. Voor het eerst in weken kon hij zich een beetje ontspannen. Hij vergat zelfs even de gespannen situatie in huis. Sinds het eerste transport in januari zei hij alleen nog het hoognodige tegen zijn ouders. Eerst hadden ze nog geprobeerd hem aan de praat te krijgen, soms boos, soms vriendelijk. Wat ze ook probeerden, hij ging er niet op in. Ook al waren het zijn ouders, in januari had hij een kant van hen leren kennen die hij verachtte. Zelfs dat zijn moeder langzaam minder overtuigd leek, hielp niet. Hij kon hun niet vergeven hoe harteloos ze gepraat hadden over de gevangenen van het kamp. Roos en Simon hadden ertussen kunnen zitten! Nu, hier in zijn stoel in de tuin liet hij dat allemaal van zich afglijden. Hij hoorde de vogels, rook het jonge groen en voelde de zon. Voor het eerst sinds maanden voelde hij het bloed weer door zijn lichaam stromen.

Een schel gefluit maakte een einde aan zijn rust. Peter stond bij het tuinhek en wenkte.

Lex sprong meteen op. Iets aan Peters gezichtsuitdrukking leerde hem dat er iets serieus aan de hand was. 'Wat is er?'

'Loop maar even mee,' zei Peter.

Pas toen ze op het bankje bij de kerk zaten dat Lex sinds januari had gemeden, haalde Peter een stuk papier uit zijn zak. 'Moet je dit eens lezen.'

Lex' ogen schoten over de regels. Toen keek hij Peter vol ongeloof aan. 'Help even. 10 april, wanneer is dat?'

'Overmorgen.'

'Denk je dat Simon en Roos hier ook onder vallen? Moeten zij naar het kamp?'

'Je vraagt naar de bekende weg. Natuurlijk moeten zij er ook aan geloven. Nou, ze hoeven in elk geval niet ver te reizen,' zei Peter schamper.

'Als ze besluiten te gaan. Ze zijn in wezen al maanden ondergedoken in hun eigen huis. De bedoeling was dat de Duitsers hen over het hoofd zouden zien. Wat hebben ze te verliezen? Heb jij hen nog gezien de laatste tijd?'

'Eh, nee, dat weet je toch. Trouwens...' Peter leek niet verder te durven. Zoals altijd was hij de voorzichtigheid zelf.

'Wat?' vroeg Lex geërgerd.

'Jouw ouders weten natuurlijk dat de familie De Vries hier woont en je moeder wist al voor de oorlog dat het Joden waren. Eén woord van je vader is genoeg.'

'Ik kan me niet voorstellen...' zei Lex en hij zweeg meteen weer. Sinds januari kon hij zich helaas maar al te goed voorstellen dat zijn ouders anders dachten dan hij.

Lex' moeder had nooit problemen met het krijgen van voedsel. Terwijl andere vrouwen in het dorp de grootste moeite hadden dagelijks een warme maaltijd op tafel te zetten, had zij toegang tot voorraden die ze zonder bon kon krijgen. Ze was er tot Lex' ergernis nog trots op ook.

Nadat Peter hem het bevel had laten lezen dat alle Joden zich in Vught moesten melden, haastte hij zich naar huis. Toen hij binnenkwam stond zijn moeder aan het aanrecht. Zijn vader zat met een borrel in zijn favoriete stoel en las de krant.

'Zal ik de tafel dekken?' vroeg Lex opgewekt.

Zijn moeder keek verbaasd op. 'Jij? Ja natuurlijk.'

De blik van verstandhouding naar haar man ontging Lex

niet. Ze vatte zijn aanbod op als een poging tot toenadering. Mooi, dat was ook de bedoeling. Hij pakte de borden uit de kast. 'Wat eten we? Het ruikt heerlijk.'

'We hebben lekkere kalfslapjes vandaag.'

Toen ze aan tafel zaten moest Lex zichzelf overwinnen om het spel te spelen dat hij had bedacht. Hij toverde een glimlach op zijn gezicht. 'Het is eindelijk voorjaar, heerlijk,' zei hij. Zijn stem klonk nog wat geknepen, maar het kon ermee door. 'Ik heb zelfs mijn huiswerk in de tuin gemaakt.'

'Ja, de wereld ziet er dan opeens heel anders uit,' zei zijn vader. Hij was nog steeds op zijn hoede en keek Lex onderzoekend aan. 'Mag ik weten waarom je gedrag opeens zo is veranderd?'

'Ik heb een voorstel,' zei Lex ernstig.

Twee paar vorken en messen bleven in de lucht hangen.

'De sfeer is hier te snijden de laatste tijd en ik vind dat we daar iets aan moeten doen.'

'Gelukkig,' zei zijn moeder. Ze wilde hem maar al te graag geloven.

'Ik zal me weer wat socialer gedragen. We zijn het over sommige dingen niet eens en dat zal ook niet veranderen, maar goed, daar wil ik overheen stappen.' Lex zweeg even. 'Er is wel een voorwaarde,' zei hij toen.

'Als ik het niet dacht,' zei zijn vader.

'Ik wil jullie belofte dat jullie de familie De Vries niet aangeven bij de Duitsers.'

'Hoezo aangeven?' Lex' moeder wist kennelijk nog niet van de nieuwe orders.

Lex zuchtte. 'Op 11 april moet Noord-Brabant *Judenfrei* zijn. Alle Joden moeten voor die datum vrijwillig naar Kamp Vught komen.'

'Dus jij denkt dat Roos en Simon en hun ouders zich niet vrijwillig zullen melden?' zei zijn vader bedachtzaam.

'Ik weet het niet. Het zou kunnen.'

'Wat vind jij, lieverd?'

'Ach, Frits, dat weet je toch. Ik bedoel… raszuiverheid is één ding, maar… Nee, de familie De Vries hoort niet in dat vreselijke kamp. Er zijn in die paar maanden al zoveel mensen gestorven… Dat kunnen we dorpsgenoten niet aandoen.'

Lex kneep zo hard in zijn mes dat zijn knokkels wit werden. Al die andere gevangenen waren ook dorpsgenoten of stadsgenoten van iemand. Waarom zij dan wel? Maar goed, het ging om Roos en Simon. Het was nu niet de tijd om opnieuw te gaan ruziën.

'Ik ken geen familie De Vries,' zei zijn vader en hij sneed weer een stuk van zijn kalfslapje.

'Mooi, dat is dan afgesproken,' zei Lex opgelucht.

De opluchting duurde precies twee weken. Op 10 april bleef het stil in huize De Vries. De luiken zaten voor de ramen en voor een buitenstaander leek het huis onbewoond. Ook de dagen erna gebeurde er niets. Lex constateerde dat zijn ouders zich aan hun belofte hielden, want de magische datum was verstreken. Dat maakte het makkelijker om met hen te praten. Nou ja, praten. Hij vertelde onbelangrijke dingen van school en luisterde quasi-geïnteresseerd naar de verhalen van zijn moeder over wat er in het dorp gebeurde. Zijn vader was opmerkelijk stil. Hij wist natuurlijk dat vertellen over zijn werk de broze wapenstilstand meteen teniet zou doen. Lex vond het allemaal best. Het was een kleine prijs om te betalen voor de veiligheid van Roos en Simon.

Toen ze een van de laatste dagen van april terugkwamen uit school bleek dat hij zich te vroeg gelukkig had geprezen. Bij het inrijden van de Kerkstraat trapte Peter meteen op de rem. Hij vloekte hardop.

Lex had het ook al gezien en schudde ongelovig zijn hoofd.

'Dit kan toch niet waar zijn.'

Voor het huis van de familie De Vries stonden twee militaire vrachtauto's. Soldaten met hun geweer in de aanslag stonden naast de deur en hielden de straat naar alle kanten in de gaten.

Met de fiets aan de hand liepen Peter en Lex langzaam dichterbij. Ze zagen dat de voordeur versplinterd was. Ook nu had de familie niet vrijwillig de deur opengemaakt. Een soldatenlaars of de kolf van een geweer had het werk gedaan. Toen was het natuurlijk eenvoudig geweest om de ondergedoken bewoners te vinden.

Op enige afstand van het huis had zich een groep nieuwsgierigen gevormd die zwijgend toekeek. Lex en Peter voegden zich bij hen.

Er verscheen een militair in de deur die een paar woorden wisselde met de twee wachtposten. Hij riep iets onverstaanbaars naar binnen. Toen stapte Lex' vader naar buiten, gevolgd door meneer De Vries met een grote koffer in de hand. Hij kneep zijn ogen even dicht voor het felle licht en stapte toen in de laadbak van de auto. Mevrouw De Vries volgde, haar hoofd fier opgeheven. Toen Lex' vader haar wilde helpen met instappen duwde ze zijn hand verontwaardigd weg.

Lex' ademhaling versnelde toen Roos in de deur verscheen. Ook zij had een koffertje in de hand. Ze had haar haren kort geknipt en droeg een hoedje waardoor ze er opeens een stuk ouder uitzag. Het voorbeeld van haar moeder werkte aanstekelijk. Ze moest heel bang zijn, maar uiterlijk was er niets te merken. De wachtposten kregen een hooghartige blik en ze keek zelfs even naar de nieuwsgierigen verderop. Of ze Lex herkende was niet te merken. Ze reikte rustig haar koffer aan haar vader aan en wipte lenig in de achterbak.

'Zag je hoe ze die smerige NSB'er te kijk zette?' zei een van de omstanders gnuivend.

'Let op je woorden!' siste een ander. 'Kijk eens wie daar staat.'

Opeens waren alle blikken op Lex gericht. Hij voelde de vijandigheid en moest zichzelf dwingen niet in paniek te raken. De moed van Roos moest een voorbeeld zijn. Trouwens...

'Ik heb Simon niet gezien,' zei hij tegen Peter.

'Klopt.'

'Zou hij al in de auto zijn gestapt voor we kwamen?'

Peter haalde zijn schouders op.

'Nee, wij hebben Simon ook niet gezien en ik sta hier al de hele tijd. Hij was kennelijk niet thuis,' zei een bekende stem. Peters vader stond ook toe te kijken.

De twee gewapende militairen sprongen bij Roos en haar ouders in de achterbak. De anderen klommen naast de bestuurders van de vrachtauto's waarna die meteen wegreden in de richting van de hei.

'Het is een schande,' zei een van de toeschouwers. 'Maar ja, wij kunnen er ook niets aan doen.'

Dit keer bood Lex niet aan de tafel te dekken. Hij was na thuiskomst onmiddellijk in zijn vaders stoel geploft en weigerde met zijn moeder te praten. Pas toen zijn vader binnenkwam barstte hij los.

'Ik dacht dat we een afspraak hadden!'

Zijn vader hing zuchtend zijn jas aan de kapstok. 'Ik dacht wel dat wij hier de schuld van zouden krijgen.' Hij zocht in zijn binnenzak en haalde er een briefje uit. 'Daarom heb ik dit meegebracht. Het werd vanmorgen bij de politie bezorgd.'

Het was een slordig briefje waarop iemand met een kriebelhandschrift een boodschap had geschreven. *Is het waar dat het U niet bekent is dat er in Vught jooden verborgen zitten? U zou eens moeten kijken wie er woont op de Kerkstraat 16. Ik dacht dat we nu verlost zouden zijn van al die rotjooden.*

'Natuurlijk stond er geen naam onder en de taalfouten kregen we er gratis bij,' zei Lex' vader. 'Ik stond machteloos. De meeste agenten hier zouden het briefje ongemerkt hebben laten verdwijnen, maar het werd net gevonden door... Doet er ook niet toe hoe hij heet, een echte fanatiekeling. Ik kon het niet negeren. En nu wil ik een borrel. Het was een rotdag.'

'Kun je nagaan hoe het voor Roos en haar ouders is. Schenken ze in het kamp ook een borrel?'

Zijn vader negeerde hem. Hij zag er uitgeput uit.

Lex zag zijn moeder in de deuropening staan. Haar gezicht stond bedrukt, maar ze zei niets. Zou ze eindelijk begrijpen wat er om haar heen gebeurde? Het werd tijd. 'En wat hebben jullie met Simon gedaan?' vroeg hij.

'We hebben maar drie mensen aangetroffen in het huis. Ik had er geen behoefte aan te melden dat er nog een lid van het gezin ontbrak.'

Lex geloofde hem. Nu had hij geen reden meer om te schelden. Alle verdriet moest er nu op een andere manier uit. Hij rende naar boven en sloot de deur achter zich. Het beeld van Roos in de achterbak van een vrachtauto bleef door zijn hoofd spoken.

Den Haag, 5 mei 1943

GEHEIM

Betreft: Definitieve oplossing van het Jodenvraagstuk in Nederland.

Op grond van een bevel van SS-Gruppenführer RAUTER zal met betrekking tot verwerking van Joden in de komende maanden de volgende acties moeten worden ondernomen:

1. Algemene lijn:
   De Reichsführer SS wenst dat in dit jaar zoveel Joden naar het oosten afgevoerd moeten worden als maar mogelijk is.

2. Kamp Vught:
   Aangezien op bevel van Berlijn in juni nog 15.000 Joden geleverd moeten worden moet zo snel mogelijk ook een beroep worden gedaan op de gevangenen in Kamp Vught.

Getekend
Dr. Hälster

SS-Brigadeführer en Generaal-Majoor van de Politie.

Mei 1943

De dagen nadat Roos was afgevoerd naar het kamp waren een hel voor Lex. Dat hij haar al maanden niet meer had gezien, was te verdragen geweest. Ze zat toen veilig thuis en er was een goede reden elkaar niet te spreken. Als ze wilde zou ze elk moment naar hem toe kunnen komen. Nu zat ze vast. Wat er zich precies in het kamp afspeelde wist niemand in het dorp, maar de geruchten waren onheilspellend. Door kou en ondervoeding waren vanaf januari al honderden mensen gestorven. Soms zag Lex een groep gevangenen die door het dorp liep op weg naar werk buiten het kamp. Wat zagen die mannen er slecht uit! De gestreepte gevangenispakken hingen als lompen om hen heen.

Lex was verschillende keren tot bij het kamp gegaan, soms met Peter, soms alleen. Veel zag hij niet. Nieuwsgierigen werden op een afstand gehouden door waarschuwingsborden. De commandant liet weten dat er met scherp geschoten zou worden op iedereen die te dicht bij het kamp kwam. Maar zelfs van grote afstand zag het kamp er grimmig uit. Twee hoge rijen prikkeldraad met daartussen een gracht maakten het bijna onmogelijk te ontsnappen. En wie daar toch over dacht werd afgeschrikt door de wachttorens. Dag en nacht hielden bewakers met mitrailleurs en schijnwerpers alles in de gaten wat zich bewoog. Wanneer het donker was, kon Lex het licht van de schijnwerpers zien vanaf de rand van de hei.

Als hij daar zo stond, vanuit het bos uitkijkend over de hei, dook steeds de herinnering op aan die dag dat ze hier met z'n vieren gefietst hadden en de eerste werkzaamheden hadden gezien. Wie had toen kunnen denken dat een van hen er opgesloten zou worden? Roos misschien. Zij was steeds somber geweest over haar toekomst onder de Duitsers. Lex vervloekte zichzelf bij de gedachte dat hij het gevaar had onderschat. En dan ging hij weer terug naar huis, de wanhoop nabij. Zijn schoolprestaties gingen zienderogen achteruit. Het leek zo zinloos om op school te luisteren naar lessen over Engelse dichters en voor zijn huiswerk kon hij al helemaal geen energie opbrengen.

Alle energie die hij wel kon opbrengen stopte hij in het inpakken van noodpakketten. Mensen die familieleden in het kamp hadden zitten, mochten hun een pakket sturen. Nou, voor zijn gevoel wás Roos familie en de mensen die de pakketten bezorgden vroegen nergens naar. Dat extra voedsel nodig was, wist inmiddels iedereen. In het hele land werden ook door andere meelevende burgers voedsel en andere zaken ingezameld voor de gevangenen. Bij Peter thuis werden daaruit door vrijwilligers pakketten van drie kilo samengesteld. Zij keken vreemd op toen de zoon van die NSB'er kwam helpen. Peters vader stelde hen gerust. Lex was absoluut te vertrouwen, zei hij. En dus pakte Lex mee in en kon hij af en toe 'Roos de Vries' op een pakket schrijven. Alles wat haar situatie kon verlichten was meegenomen.

En toen kwam de brief! Het was op een van de avonden dat hij zou helpen met de pakketten. Peters vader wenkte hem onopvallend en verdween naar de keuken. Lex volgde meteen.

'Lex, er is een brief voor je. Van Roos.'

'Van Roos. Hoe kan dat nu? Ik bedoel...'

'Er zijn manieren om brieven naar buiten te smokkelen. Ik kan daar niet verder op ingaan, maar zoals je ziet is het mogelijk. Niemand mag hiervan weten! Mensen riskeren hun vrijheid door dit te doen, dus...'

'Ik hou mijn mond wel,' zei Lex. 'U kent me toch.'

Peters vader knikte. 'Lees nu maar,' zei hij en hij ging zelf terug naar de woonkamer.

Lex ging aan de keukentafel zitten en keek naar de brief in zijn trillende handen. Het was niet eens een echte brief. Een stukje papier was tweemaal dubbelgevouwen en op een leeg plekje stond geschreven 'Aan Lex'. Hij begreep meteen waarom Peters vader zo op geheimhouding had aangedrongen. Die man moest zowel Roos als hem kennen om de brief te kunnen bezorgen. En hoe wist hij in vredesnaam dat Roos iets verstuurde? Lex schudde zijn hoofd. Wat deed het er ook toe? Hij had Roos' handschrift onmiddellijk herkend en wilde lezen wat ze hem had geschreven. Hij vouwde het papier open en streek de vouwen glad. Omdat zijn handen nog steeds trilden legde hij de brief op tafel en las langzaam, zin voor zin.

Lieve Lex,

Iemand heeft me verzekerd dat deze brief bij jou terecht zal komen. Dat geeft me de moed dit op te schrijven. Hoe lang ben ik nu in dit kamp? Twee, drie weken? Ik heb geen idee van tijd, maar ik voel me alsof ik hier al maanden ben. Dat komt waarschijnlijk omdat we niets te doen hebben. Ik verveel me enorm en daarom lijkt elke dag op de vorige. Slapen en eten is het enige dat er bestaat. En dat eten... Ik wil niet klagen, maar er zijn andere dingen. Weet je dat je hier met z'n vijven op een rij op de wc zit met uitzicht op vijf andere mensen tegenover je? Zomaar zonder afscheiding! De eerste dagen heb ik dat geweigerd en nu vind ik het al heel gewoon. Dat soort dingen wennen heel snel, merk ik.

Die dag dat we opgehaald werden heb ik je zien staan. Je zag er zo ongelukkig uit! Hoe vind je mijn korte haren? Mijn moeder heeft ze zelf geknipt in de maanden dat we het huis niet uit kwamen. Veel makkelijker te verzorgen en zo. O, wat heb ik me verveeld in die tijd. Ik heb in die tijd meer boeken gelezen dan mijn hele leven daarvoor.

Nu ik hier zit, heb ik spijt van elke dag dat ik je niet opge-
zocht heb. Zeker nu het onderduiken toch niet heeft geholpen.
Die vader van jou is een schoft! Ook zoiets, ik ben de hele dag
boos, op alles en iedereen. Jij weet dat ik zo niet ben, maar
hier... Ik schaam me om het te zeggen, maar ik heb gevochten
met een meisje die een kam van me wilde stelen. Een kam, nou
vraag ik je!

Wat erg, ik spring van de hak op de tak. Ik had het over jou
opzoeken. Weet je dat ik elke ochtend en elke middag door een
spleet in de luiken naar je keek als je met Peter naar en van
school ging. Maar goed dat ik je lesrooster uit mijn hoofd ken.
Je bent trouwens erg gegroeid. En mager geworden.

Een enkele keer mocht ik van mijn vader 's nachts naar
buiten. Even lopen en frisse lucht inademen. Ik liep dan altijd
langs jullie huis en op de terugweg ging ik op het bankje zitten
waar we de laatste keer met elkaar gepraat hebben. Stom hè?

Papa en mama zitten in andere barakken. Ik zie ze op zon-
dagmiddag. Alleen dan mogen ouders en kinderen elkaar be-
zoeken. Ze zijn zo bezorgd over mij, maar zij zijn er veel erger
aan toe. Het lijken wel bejaarde mensen. Ik doe mijn best om
er voor hen zo opgewekt mogelijk uit te zien.

Sorry, dit is een heel andere brief dan we op school geleerd
hebben te schrijven. Mijn gedachten tollen over elkaar. Vol-
gende keer probeer ik duidelijker te zijn.

Kus,
ROOS

Lex las de brief drie keer door en bleef toen stil voor zich uit
kijken. Ze wilde zich ook voor hem groothouden, maar het
was duidelijk hoe zwaar ze het had.

Een bescheiden klopje op de deur en toen kwam Peters
vader weer binnen. 'Ja jongen, dat is zwaar, ik weet het. Het
is een inkijkje in de hel. Die moffen zullen zich eens moeten

verantwoorden...' Hij ging steeds harder praten en schrok daar zelf van. 'Wat doe ik? Ik hoef jou niet te overtuigen.'

'Ze spreekt met geen woord over Simon,' zei Lex.

'Dat is heel verstandig van haar. Stel dat het briefje wordt onderschept. Ze zou dan de aandacht vestigen op Simon. Het lijkt erop of de Duitsers hem hebben vergeten. Heel goed. Als je Jood bent in deze tijden is dat het beste dat je kan overkomen. Hoe minder we over Simon praten, hoe beter het is.'

'Ja, maar...'

Peters vader legde een vinger over zijn lippen.

'Kan ik haar wel terugschrijven?'

'Nee jongen, dat kan niet en Roos weet dat. Als ze een brief van jou bij haar aantreffen wordt ze zwaar gestraft. De kans dat een van haar lotgenoten haar verraadt in ruil voor een extra boterham is groot. Niet doen dus.'

Precies een week later kwam de tweede brief. Lex wist intussen welk risico Roos liep bij het schrijven, maar hij hoopte elke dag weer dat ze het toch had gedaan. Dit keer was het Peter die hem de brief gaf, gewoon 's morgens op weg naar school. 'Jij wilt natuurlijk rustig lezen,' zei hij. 'Neem de tijd. Ik fiets al door en zeg dat je een lekke band hebt.'

Lex knikte dankbaar. Hij zette zijn fiets tegen een boom, nam plaats in het gras en las.

Lieve Lex,

Zie je wel dat ik iets vergeten had in mijn vorige brief. Dank je wel voor de pakketten. Als je eens wist hoe nodig ze zijn. Een lekker stuk brood om in die eeuwige koolsoep hier te soppen. En shampoo. Voor het eerst in weken heb ik mijn haren weer eens gewassen. Het stelt niets voor, maar je voelt je er toch beter door.

Ik gebruik niet alles voor mezelf. Als ik papa of mama zie stop ik ze iets toe. In het kamp zit ook een jonge vrouw uit Eindhoven. Ze is een politieke gevangene en heet Margriet. De Duitsers proberen de Joden en de saboteurs gescheiden te houden, maar Margriet laat zich niet tegenhouden. We kunnen goed met elkaar opschieten en ook zij krijgt wat uit zo'n pakket. Dat vind je toch niet erg, hè?

Wist je al dat er hier ook andere mensen dan Joden zitten? Communisten, mensen uit het verzet. Ze zitten meestal in aparte barakken. Die mensen zijn geen dag zeker over wat hun te wachten staat. Eergisteren werd een van hen opgehaald door een groep militairen en op een vrachtauto geladen. De arme man was lijkbleek. Margriet zegt dat ze hem afgevoerd hebben om elders te executeren. Het kan zijn. Dat is de ellende hier, je weet niets zeker. Er zijn zoveel verhalen in omloop. Maar Margriet vertrouw ik. Ze zat zelf in het verzet en praat veel met de politieke gevangenen.

Wat een treurige brief weer. Er is één goed bericht. Margriet gaat proberen of ik bij haar kan werken. Zij werkt op een speciale plaats waar ze spullen maken voor Philips. Als dat lukt zit ik goed. Die mensen worden beter behandeld, ze krijgen beter voedsel en volgens Margriet worden ze ook niet weggevoerd.

Jammer dat jij mij niet kunt schrijven. De mensen die dat hier organiseren hebben me verteld dat ik wel mag schrijven, maar geen antwoord mag ontvangen. En ik wil zo graag horen hoe het met jou gaat. Denk je nog wel eens aan mij? Ik heel veel aan jou,

ROOS

P.S. Ik ben hier nog een oude bekende van ons tegengekomen. Als ik eraan denk vertel ik je er volgende keer meer over.

Denk je nog wel eens aan mij? Lex schudde zijn hoofd. Wat een vraag! Hij dacht aan weinig anders dan aan Roos. En in deze brief stond weer veel ellende. Je hoorde overal verhalen over wat er met gevangengenomen verzetslieden gebeurde. Er werd ook verteld over de plaatsen waar de Duitsers gevangenen executeerden. Die Margriet had dus waarschijnlijk gelijk. Lex drong het beeld van de eenzame gevangene voor een vuurpeloton snel weg. De brief bezorgde hem ondanks alles een goed gevoel. Zij dacht ook veel aan hem. Waarom hadden ze die dingen niet gewoon hardop gezegd voor ze in het kamp verdween? Hij zou vanaf nu geen tijd meer verspillen aan spelletjes.

Het goede humeur hield de hele dag aan. Toen Lex die middag thuiskwam riep hij zelfs vrolijk gedag vanuit de gang. Er kwam geen antwoord, dus hij ging ervan uit dat er niemand thuis was. Ook goed, dan geen thee vanmiddag. Bij het binnenkomen van de kamer schrok hij toen hij zijn moeder zag. Ze zat in haar stoel naast de kachel, een beetje in elkaar gedoken en de handen in haar schoot gevouwen. Het was te donker om het goed te zien, maar Lex zou hebben gezworen dat ze had gehuild.

'Is er iets?' vroeg hij.

Ze schudde alleen haar hoofd, maar keek hem niet aan.

Er was dus wel degelijk iets. 'Zal ik thee zetten?'

Nu keek ze wel op. 'Wil je dat doen? Graag.'

Bij de eerste kop probeerde hij het weer. 'Zeg nou maar wat er is.'

Ze nam in gedachten een slokje. 'Eigenlijk is er niets, maar ik vraag me steeds meer af of ik niet een enorme fout heb gemaakt.'

'Fout?'

'Ik ben indertijd vol overtuiging lid geworden van de Nationaal-socialistische Beweging. De hoop op een betere toekomst en de trots op ons land sprak me enorm aan. Trouwens, dat is nog steeds zo. Maar langzamerhand, sinds de Duitsers de baas zijn, is de sfeer helemaal veranderd. Of ik daar nog bij wil horen...'

Lex durfde zijn oren nauwelijks te geloven. Had zijn moeder eindelijk ingezien hoe fout ze zat? 'Hoe kom je daar nu opeens bij?'

'Het speelt al een tijdje. Ik had een stel goede vriendinnen in het dorp. We hadden altijd plezier samen en praatten nooit over politiek. Het afgelopen jaar ben ik ze allemaal kwijtgeraakt. Sinds dat kamp open is zien mensen hier ook wat de oorlog echt betekent. Mijn vriendinnen kunnen niet meer negeren dat jouw vader een NSB'er is die in Vught veel macht heeft. En dus...' Ze leunde achterover en sloot haar ogen. 'Ik ben dus niet alleen het contact met jou kwijtgeraakt, maar ook dat met mijn vriendinnen. Maar dat is niet het ergste. Ik troostte me met de gedachte dat jij te jong bent en zij gewoon jaloers zijn. Nu niet meer. Vanmorgen ging ik boodschappen doen. Er passeerde een groep gevangenen op weg naar hun werk in de bouw. Ik moest wachten voordat ik de straat kon oversteken. Voor het eerst heb ik die mensen echt bekeken. Meneer De Vries was een van hen. Het duurde even voor ik hem herkende. Hij keek mij ook aan, maar ik zag geen blik van herkenning. Alleen een doffe, dodelijk vermoeide blik. Hij zag er veel ouder uit dan ik mij herinner en hij was broodmager. Al die mannen zagen er zo uit. Wat een verschil met de bewakers. Die waren gezond en grapten met elkaar.'

'Ik wil niet vervelend zijn,' zei Lex. 'Maar zo gaat het al maanden.'

'Ja, ik weet het, maar vandaag opeens drong het tot me door dat ik medeverantwoordelijk ben.' Er volgde een korte ingehouden snik. 'Hoe kan ik mensen ooit uitleggen dat ik dit niet heb gewild? Ze mogen wat mij betreft terroristen en saboteurs zwaar straffen, maar dit waren allemaal gewone mensen. Zo kun je toch niet omgaan met je medemensen?'

Lex zweeg. Wat kon hij zeggen? Dat hij blij was dat ze eindelijk haar ogen had geopend? Natuurlijk voelde hij medelijden met haar. Er was weinig over van de trotse vrouw die hij zich herinnerde van het begin van de oorlog. 'Hebt u er met papa over gepraat?'

'Dat heeft geen zin. Gek eigenlijk, in het begin heb ik hem moeten overtuigen van het gelijk van Mussert. Nu hij daar eindelijk een aanhanger van is, kom ik weer met tegenargumenten. En weet je, zelfs als hij wilde, zou hij niet meer terug kunnen. Hoe denk je dat de Duitsers zouden reageren? Hij zou binnen de kortste keren zelf in het kamp gestopt worden. Nee, we zitten muurvast op een plek waar we niet willen zitten. Jij hebt al die tijd gelijk gehad, jongen.'

Aan alle kampbewoners.
Tot ons grote leedwezen moeten wij U op de hoogte stellen van
een verschrikkelijk ongeluk, dat ons getroffen heeft.

Op hoog bevel van elders, moeten alle kinderen van 0 tot ca. 16
jaar het Kamp verlaten om, zoals men ons mededeelde, in een
speciaal Kinderkamp te worden ondergebracht.

De uitvoeringsbepalingen zijn als volgt vastgesteld:

Tot 4 jaar (tot en met 3 jaar), moeten de moeders hun kinderen
vergezellen.
1. *Van 4 tot 16 jaar moeten de kinderen vergezeld worden door*
   één van de ouders. Degenen, die in de industrie tewerkgesteld
   zijn, moeten hier blijven en de Vader kan, indien hij niet
   tewerkgesteld is, het kind vergezellen. Indien beiden werken,
   gaat een van de ouders mee.
2. *Die Vaders en Moeders, die niet tewerkgesteld zijn, d.w.z. ook*
   niet in Kampdiensten ingedeeld zijn, kunnen eventueel beiden
   met hun kinderen meegaan.

Daar wij ons van de draagwijdte van deze verschrikkelijke slag,
welke ons getroffen heeft, volkomen bewust zijn en het leed, dat
ons treft, moeilijk te overwinnen is, zal de Kommandatur de
orde en de rust voor het kamp handhaven. Wij verzoeken U dus
vriendelijk, orde en rust zoveel mogelijk te bewaren, zodat door
een verscherpt optreden van de zijde der SS ons een eventueel
nog groter onheil bespaard blijve.

Wij zullen al onze menselijke kracht instellen om tot het laatste
ogenblik alles proberen te redden, wat nog te redden zal zijn. Wij
willen U niet in het onzekere laten dat het hier om ca. 3000 mensen
gaat, die in twee transporten en wel op Zondag en Maandag het
Kamp zullen verlaten. Een ieder wachtte zijn oproep af.

Tot slot delen wij U nog mede, dat de goede hoop bestaat, dat
de kinderen hier in het land ondergebracht zullen worden en de
ouders kunnen dan, indien zij dit wensen, nog terugkeren.

Vught, 5 Juni 1943.
De Kampleiding w.g.
R. Süsskind   A. Lehmann

Juni 1943

Lex zou de avond van 5 juni 1943 nooit vergeten. Het begon als een gewone avond. Samen met twee andere vrijwilligers pakte hij dozen in voor gevangenen in Kamp Vught. Ook Peter hielp mee en zijn vader natuurlijk. Niets nieuws, dit was intussen routine geworden en het was de enige gelegenheid waarbij hij ontspannen met anderen kon praten. Hij wist zeker dat zij dachten zoals hij. Dit werk gaf hem ook het idee dichter bij Roos te zijn. De ramen stonden open en de vroege zomer drong het huis binnen.

Rond half acht stormde een man zonder kloppen het huis binnen. Hij moest hier de weg weten. Toch kende Lex hem niet. Peters vader wel. 'Dag Herman, je ziet eruit alsof de duivel je op de hielen zit,' zei hij lachend.

De man was zo buiten adem dat hij niet kon antwoorden. Hij reikte alleen een getypt vel papier aan. Toen plofte hij hijgend in een stoel. De ontreddering lag als een masker op zijn gezicht.

Terwijl hij las werd het gezicht van Peters vader steeds bleker. Ook hij ging zitten. 'Deze mensen deinzen werkelijk nergens voor terug,' zei hij tegen Herman. 'Al die praatjes over speciale opvang elders in het land, flauwekul. Ook deze treinen zullen in Westerbork een korte tussenstop maken en dan doorrijden naar het oosten. De gewetenloosheid! Hoe kom je hier aan?'

Herman kon weer praten. 'Doet er niet toe. In elk geval is dit bericht vanavond in elke barak van het *Juden Durchgangslager* voorgelezen. Kun je je voorstellen wat er zich daar nu afspeelt?'

Peter pakte het papier uit zijn vaders hand en legde het

op tafel zodat Lex mee kon lezen. *Aan alle Kampbewoners. Tot ons grote leedwezen moeten wij U op de hoogte stellen van een verschrikkelijk ongeluk, dat ons getroffen heeft. Op hoog bevel van elders, moeten alle kinderen van o tot ca. 16 jaar het Kamp verlaten...* Tot circa 16 jaar. Opeens had Lex grote moeite met ademhalen. Dit betekende dat Roos waarschijnlijk ook weggevoerd zou worden. Hij keek nog snel naar de datum. Morgen of overmorgen al! Hij begreep waarom de boodschapper moest gaan zitten. 'Dit kan toch niet!' zei hij tegen Peters vader.

Die keek hem ongelukkig aan. 'Nee, eigenlijk niet, maar het staat er toch echt, zwart-op-wit.'

'Kom op, pap, jullie moeten hiertegen optreden,' zei Peter boos.

Zijn vader keek hem verwijtend aan en schudde alleen maar zijn hoofd. 'Let op je woorden, Peter.'

'Wie zijn die ondertekenaars, Süsskind en Lehmann?' vroeg Lex. 'Ze schrijven hier dat ze de kampleiding zijn.'

'Het zijn zelf gevangenen. Als je het mij vraagt zijn het gewoon stromannen van de Duitsers,' zei Peters vader. 'En als je er welwillend naar kijkt moet je zeggen dat ze namens de gevangenen spreken en op die manier dingen regelen. Zoals je ziet kunnen ze echte rampen niet tegenhouden. Ze worden alleen maar ingeschakeld om de uitvoering te vergemakkelijken. En je hoort het dreigement tussen de regels door. Als de gevangenen protesteren zal de SS hard optreden.'

Terwijl de laatste woorden nog klonken was Lex al bij de deur. Hij deed er maar vijf minuten over om thuis te komen. Zijn vader was na het eten kennelijk weggedommeld in zijn leunstoel, want hij schrok wakker van het slaan van de deur.

'Pap, zeg me dat het niet waar is! Jullie kunnen toch niet echt alle kinderen uit het kamp laten wegvoeren. Gezinnen van elkaar scheiden, wie bedenkt zoiets? Dat is zelfs voor de Duitsers ondenkbaar.'

Zijn vader keek hem boos aan. 'Orders van bovenaf. Het is voor mij ook niet altijd duidelijk wat de achterliggende bedoeling is, maar reken er maar op dat dit soort dingen goed overwogen zijn. Ik begrijp dat er speciale kinderkampen komen, waarin de voorzieningen op hen zijn toegesneden.'

Lex siste van woede. 'Dat jullie de gevangenen proberen sprookjes te vertellen, begrijp ik nog wel, maar dat je er zelf in gelooft.'

'Ik ga niet met een snotneus in discussie over dit onderwerp. Het is duidelijk dat jij nog veel moet leren.' Hij pauzeerde plotseling met een nadenkende frons op zijn gezicht. 'Wacht eens even. Wij hebben de orders gisteren pas binnengekregen en ze met de grootste geheimhouding omgeven. In het kamp is het nieuws vanavond bekendgemaakt. Hoe kun jij dan nu al op de hoogte zijn?' Voor Lex iets kon zeggen, ging hij al verder. 'Ik wil het niet weten ook. Als je maar weet dat je er gevaarlijke contacten op nahoudt. Als een van de speurhonden van de SS je in zulk gezelschap aantreft, word je zelf nog op transport gezet.'

'En daar zou jij niets aan doen?'

'Tutoyeer je mij nu weer?'

'U zou mij dus gewoon laten wegvoeren?'

'Ja, dat was dan je verdiende loon en verder heb ik hier niets over te zeggen. Je gaat nu naar boven en je hebt tot nader order huisarrest. Begrepen? En mocht je erover denken morgen of overmorgen naar het station te gaan, vergeet het maar. Ik bedoel huisarrest nu heel letterlijk. Hier komt twee dagen een van mijn mensen voor de deur te staan om erop toe te zien dat je er niet alsnog tussenuit knijpt. Ik kan het me niet permitteren dat mijn eigen zoon opgepakt wordt.'

Hij had zo hard gepraat dat Lex' moeder snel de trap af kwam. 'Wat is er hier aan de hand?'

'Ik heb zonet voor de laatste keer met mijn vader gepraat,'

zei Lex rustig. 'Dat is er hier aan de hand.' De koude woede die zich van hem had meester gemaakt was beangstigend. Hoe kon zijn vader zo veranderd zijn?

Twee dagen lang was hij van de buitenwereld afgesloten. Zijn moeder zorgde voor eten en drinken. Een gesprek met haar was niet mogelijk. Ze huilde aldoor. Hij kon vanuit zijn raam het station niet zien, wel de jeep met een dodelijk verveelde soldaat die hier als kinderoppas zijn tijd verdeed. Hij hoorde elke trein die vertrok. Over een transport in april had hij gehoord dat de gevangenen in veewagens werden gepropt. Zouden ze dat met Roos ook doen? Hoe zouden die kinderen eraan toe zijn? Beseften ze wat hun te wachten stond? Al die tijd sliep hij nauwelijks. Hooguit dommelde hij af en toe weg om zwetend weer wakker te worden. Hij herinnerde zich zijn droom dan niet, maar dat Roos erin voorkwam wist hij nog wel. En dat er verschrikkelijke dingen gebeurden. Zo erg dat hij uiteindelijk helemaal niet meer durfde te slapen.

Op dinsdagochtend 8 juni was de jeep voor hun huis verdwenen. Lex rende zonder te ontbijten naar Peters huis. De familie Van Grinsven zat aan tafel en de bedrukte stemming was haast zichtbaar.

'Ik mocht het huis niet uit,' zei Lex. 'Is het transport doorgegaan?'

Meneer Van Grinsven knikte. 'Zondag zijn de kleintjes tot vier jaar op de trein gezet en gisteren de oudste kinderen. Het is wel duidelijk dat de Duitsers weten dat ze dingen doen die niet door de beugel kunnen. Ze hebben bussen laten komen om de kinderen met een van hun ouders naar het station te brengen. De inwoners van Vught mogen vooral niet zien wat ze uitvreten. Dat is mooi mislukt. Bij het station stonden voldoende getuigen. Het was hartverscheurend om te zien. Sommige van die kleuters huppelden aan hun moeders hand mee alsof ze op een schoolreisje gingen. Die kinderen waren blij eindelijk uit die vieze barakken weg te zijn. Bij de groep gisteren was dat anders. Zeker de oudere kinderen wisten maar al te goed wat hun te wachten stond. Strakke gezichten, veel tranen. Een enkeling probeerde nog weg te komen net voor ze in de wagons moesten stappen, maar ze hadden geen kans natuurlijk. Er waren zo veel soldaten. Ze sleepten de vluchtelingen aan hun haren terug.' Er liep zichtbaar een rilling over Van Grinsvens rug. 'En jouw vader was er natuurlijk ook. Hij hield toezicht.'

Lex durfde de vraag die op zijn lippen lag nauwelijks te stellen.

Gelukkig kon Peter zijn gedachten raden. 'Roos was er ook bij. Ze zag er goed uit. Die krijgen ze niet zo gemakkelijk klein. We zagen hoe ze bange lotgenoten troostte en hen hielp instappen.'

Mevrouw Van Grinsven had tot nu toe alleen geluisterd. Ze wees op de lege stoel. 'Kom zitten, jongen. Wie weet valt het mee. Stel je nou toch eens voor dat de moffen dit keer niet liegen en dat die kinderen echt naar een speciaal kinderkamp worden gebracht.'

Lex zag aan haar gezicht dat ze het zelf niet geloofde, maar waardeerde de poging.

'Vannacht zijn er nog wel een paar brieven naar buiten gesmokkeld,' zei Peters vader. 'Er was er ook een van Roos bij. Kun je het aan om die nu te lezen?'

'Ja, hoor,' zei Lex met schorre stem. 'Maar niet hier, als u het goedvindt.'

'Natuurlijk. Hier is hij.'

Op weg naar huis hield Lex de brief tegen zijn borst geklemd als een kostbaar kleinood. Zou Roos al van de deportatie hebben geweten toen ze de brief schreef? Als dat zo was moest ze snel haar ouders zien te vinden om afscheid te nemen. En spullen bij elkaar pakken. Dat ze toch nog tijd had genomen om hem te schrijven! Hij draaide zijn kamerdeur op slot en ging aan zijn bureau zitten. 'Lex' stond er op een leeg stuk. Toen hij de brief openvouwde zag hij weer het vertrouwde ronde handschrift. Van alle puntjes maakte Roos kleine bolletjes.

Lieve Lex,

Vanavond na het eten is er hier in elke barak een brief voorgelezen. Het kamp is zo vol dat alle kinderen worden weggevoerd. Naar speciale kinderkampen, zeggen ze. Margriet zegt dat ik dat niet moet geloven, maar ik wil het zo graag wel geloven!

Kun je je voorstellen wat er gebeurde na het voorlezen? Eerst was het helemaal stil, zo stil dat je de vogels kon horen. En toen brak de hel los. Er klonk geschreeuw en gehuil. Mensen renden de barakken uit om elkaar te zoeken. De wanhoop was verschrikkelijk om aan te zien. Sommige mensen waren woedend, andere huilden en weer andere zaten stil in een hoekje en keken alleen maar somber voor zich uit. Is ouders en kinderen scheiden niet het ergste wat er is? Weet je, kinderen boven de vier jaar zitten nu ook al in aparte barakken. Maar dat is toch anders, ouders kunnen hun kinderen elke dag zien. In elk geval weten ze dat ze vlakbij zijn.

De Duitsers zijn op alles voorbereid. De wachtposten zijn verdubbeld en er lopen van die smeerlappen tussen de barakken met hun wapens in de aanslag. Je zou verwachten dat ze medelijden hebben met ons, maar vergeet het maar. Ze kijken op ons neer alsof we geen menselijke wezens zijn. Hoe kan dat toch?

Mijn ouders hoeven niet te besluiten wie er met me mee-

gaat. Omdat mama bij het Philips-kommando werkt, mag
zij niet mee. Papa zegt dat dat maar goed is, want hij is wel
toe aan een uitstapje. Hoe krijgt hij het toch voor mekaar om
grapjes te blijven maken? Ik vind het verschrikkelijk om van
mama afscheid te moeten nemen. Wie weet hoe lang het duurt
voor ik haar weer zie.

  Ik probeer me groot te houden. Ik huil niet waar mijn ou-
ders bij zijn, maar als ik de blik in Margriets ogen zie... Weet
zij iets wat wij niet weten? Wat staat ons te wachten? Ik ben
zo bang.

ROOS

De zondag daarna speelden Lex en Peter kaart aan de keukentafel. Meteen na de klop op de deur rende Peters moeder naar
de gang. 'Er zijn Duitsers,' riep ze naar boven.

Er volgde gestommel op de eerste verdieping. Toen kwam
ook meneer Van Grinsven naar beneden. 'Rustig maar,' zei hij
tegen zijn vrouw. 'Er is waarschijnlijk niets aan de hand. We
mogen geen argwaan wekken. En jullie houden je mond!' Dat
laatste was tegen Peter en Lex die te nieuwsgierig waren om
in de keuken te blijven.

Hij opende de deur en keek in het gezicht van een Duitse soldaat. De man was alleen. Dat kwam zelden voor, want
meestal liepen ze in groepen over straat. Hij droeg wel een
uniform, maar zag er niet zo dreigend uit als de andere soldaten. Eerder wat onzeker.

Van Grinsven keek hem onderzoekend aan.

'*Schönen guten Tag,*' zei de man. '*Kennen Sie mich noch?*'

Van Grinsven schudde zijn hoofd.

'*Ich war hier schon mahl,*' zei de soldaat.

'Ach Henk, dat is die jongen die hier in de tuin is neergeschoten,' zei Peters moeder opeens. 'Ja, hij ziet er nu een stuk
beter uit, maar het is hem.'

De soldaat knikte, blij dat hij herkend werd.

Meneer Van Grinsven leek niet goed te weten wat te doen. 'Alles goed en wel,' zei hij. 'Maar toen was het een gewone soldaat. Intussen is hij wel bij de SS gegaan.' Hij bleef de ingang blokkeren.

'En toch blijft het een jongen die ook niet precies weet wat hij moet doen. Kijk hem daar eens staan schutteren,' zei Peters moeder.

Van Grinsven ging met duidelijke tegenzin opzij om de soldaat door te laten.

De man keek ongemakkelijk om zich heen. Hij vertelde dat een meisje uit het kamp hem had gevraagd dit hier af te geven. Hij zette een koffer op tafel, knikte naar meneer en mevrouw Van Grinsven en liep weer naar buiten.

'Wat is dit in vredesnaam?' zei mevrouw Van Grinsven.

Haar man haalde zijn schouders op en bekeek de koffer nauwkeurig. 'Er is een briefje op geplakt,' zei hij. '"Voor Lex" staat erop.'

Lex voelde hoe al zijn spieren opeens samentrokken. Er was maar één meisje in het kamp dat hem iets kon sturen.

Van Grinsven schoof de koffer naar hem toe. 'Het is voor jou, jongen, maak maar open.'

Lex aarzelde. Zijn handen trilden weer als bij de eerste brief. Hij had geen idee wat er in de koffer kon zitten. De sloten klikten en de koffer viel open. Wat hij ook verwacht had, dit niet. De koffer was helemaal leeg, op een klein boekje na met een zwart geaderde kaft. Uit het boekje stak een los velletje. Er stonden weer bolletjes in plaats van puntjes.

Over een uurtje moet ik in de bus stappen. Ik heb hier niets wat de moeite waard is, behalve mijn koffer. Een tijdje terug herkende ik de soldaat die bij de familie Van Grinsven is verzorgd. Hij wist ook nog wie ik was en we hebben een paar keer gepraat. Ik heb hem gevraagd deze koffer voor je af te geven in het huis waar hij is verzorgd toen hij gewond was. Volgens mij doet hij wat hij belooft. In de koffer zit ook een dagboekje dat ik de afgelopen jaren heb bijgehouden. Jij bent de enige die het mag lezen. Als ik zelf niet meer de kans krijg.

Deze zin was weer doorgekrast.

Zo kun je me een beetje beter leren kennen. Wat er over jou in staat, heb ik je nooit durven zeggen, maar ik meen elk woord.

ROOS.

Lex gaf het briefje aan Peter die het samen met zijn ouders las.

'Jongen toch,' zei mevrouw Van Grinsven.

Meneer Van Grinsven legde beschermend een arm om Lex' schouder.

Uit een handgeschreven Duitse lijst met in Kamp Vught
overleden gevangenen:

(...)	omschrijving	naam	geboorte-datum	overlijdens-datum	doodsoorzaak
277	Jodin Wolff-	Cohn Anna	17-05-1850	10-5-1943	maag- en darmziekte
278	Jodenkind	De Vries Jozua	01-03-1943	9-5-1943	maag- en darmziekte
279	Aso	Ziekman Casper	22-11-1906	10-5-1943	maagperforatie
280	Jood	Wijnberg Mozes	11-05-1880	10-5-1943	maagperforatie
281	Jodenkindv.	Pommedans, David	20-01-1943	10-5-1943	longontsteking

Juli en augustus 1943

Na het wegvoeren van Roos was er een merkwaardig gelaten stemming over Lex gekomen. Haar brieven en het dagboek maakten duidelijk dat ze voor hem voelde wat hij voor haar voelde. Die wetenschap troostte hem, maar het maakte ook de onzekerheid over haar lot moeilijker te dragen. Hij las en herlas haar dagboek omdat dat de enige manier was om dicht bij haar te zijn.

Thuis was de spanning te snijden. Lex weigerde nog met zijn vader te praten en zijn vader was daarover weer zo boos dat hij alleen nog thuiskwam om te slapen. Lex was veel bij Peter en als hij thuis was, zat hij op zijn kamer. Zijn moeder bracht hem daar de maaltijden. Hij dwong zich met haar te praten. Het ging over onbelangrijke dingen, maar ze had het nodig. Ze leek met de dag magerder te worden. Sommige dagen nam ze niet de moeite zich aan te kleden en was ze nog steeds in ochtendjas als ze het avondeten bracht.

De zomervakantie duurde veel te lang. Er was niets anders te doen dan wachten. Waarop was niet helemaal duidelijk, maar waarschijnlijk keek iedereen uit naar de bevrijding. Geruchten over Duitse nederlagen waren er volop. De ruzies tussen Lex' vader en moeder werden steeds heftiger. Verschillende keren begroef hij zijn hoofd onder het kussen om het niet te hoeven horen. In augustus merkte hij ook voor het eerst dat zijn moeder overdag alcohol dronk. Hij rook het als ze hem zijn eten bracht.

Op een ochtend tegen het einde van de zomer werd Lex wakker van opgewonden stemmen in de slaapkamer van zijn ouders. Geen ruzie dit keer. Het waren vreemd genoeg ook twee mannenstemmen. Zijn vaders stem herkende hij meteen, maar wie was die andere man?

Hij schrok van de klop op zijn deur. Dezer dagen was hij na het avondeten alleen tot het ontbijt.

Dokter Lardinois keek hem ernstig aan. 'Zo jongeman, je hebt ruzie met je vader, begrijp ik. Dat is allemaal best, maar jullie vergeten dat jouw moeder tussen jullie in staat en het slachtoffer dreigt te worden.'

'Slachtoffer?'

'Je vader vond haar een uurtje terug onder aan de trap. Ze was volledig over haar toeren en kon niet meer op haar benen staan. We hebben haar nu op bed gelegd en ik heb haar wat kalmerends gegeven, zodat ze goed kan slapen.'

'En morgen?'

'Tja, dat is het probleem. Van je vader begreep ik dat hij nodig is in het gemeentehuis. Dat betekent dat jij je moeder een beetje in de gaten moet houden. Lukt dat, denk je?'

'Ja,' zei Lex en hij sloot de deur weer. De dokter hoefde niet te weten dat zijn moeder niet alleen leed onder de ruzie van haar man en haar zoon, maar dat andere twijfels haar ook kwelden.

'Goedemorgen, schone slaapster. Hier is uw ontbijt.' Lex zette het dienblad op het nachtkastje. Terwijl zijn moeder overeind kwam, schoof hij de gordijnen open. Hij deed dit nu elke ochtend. Als hij zijn vader de voordeur achter zich hoorde dichttrekken, stond hij op en maakte het ontbijt klaar.

Zijn moeder nam het dienblad met een dankbaar gezicht aan. 'De rollen zijn nu omgedraaid,' zei ze.

'Ja,' zei Lex. Hij had voor zichzelf ook een kop thee meegebracht. 'Hoe is het vanmorgen?'

'Och, als ik lig gaat het goed, maar zo gauw als ik probeer

op te staan draait alles voor mijn ogen. Ik voel me heel nutteloos zo. Lardinois zegt dat mijn hart verzwakt is door alle spanningen en dat ik lijd aan zenuwzwakte. Ik krijg nu al drie verschillende soorten pillen. Je vader zegt dat er vanaf morgen een verpleegster komt om voor me te zorgen. Hij is opeens weer heel zorgzaam.'

Zorgzaam! Iemand die meehielp aan kindertransporten? 'Goed dat er een verpleegster komt,' zei Lex. 'Ik vroeg me al af hoe dat moest als binnenkort mijn school weer begint.'

Toen het nieuwe schooljaar begon was Lex' moeder weer in staat naar beneden te komen. Ze bracht haar dagen door in een stoel naast het raam. Gelukkig bleef de verpleegster komen om voor het huishouden te zorgen. Lex stortte zich intussen helemaal op zijn huiswerk. Hij studeerde zo hard dat hij binnen de kortste keren de beste van zijn klas was. Dat interesseerde hem overigens totaal niet. Het enige waar hij iets bij voelde, was het dagboek dat Roos hem gestuurd had. Zo veel vertrouwen had niemand hem ooit geschonken. Hij had het allemaal al zo vaak gelezen dat hij hele passages uit zijn hoofd kende.

10 augustus 1939. We hebben een hut gebouwd in het bos! Als mijn oom dit zou weten, zou hij waarschijnlijk weer schelden op mijn moeder, maar ik doe het lekker toch. Lex heeft de dag bijna bedorven door te zeggen dat het binnenkort oorlog wordt. Maar hij heeft het later die middag goedgemaakt door me uit de struiken te bevrijden. Ik probeerde een vogeltje te helpen dat door een kat was toegetakeld, maar er was geen redden meer aan. Ik heb mezelf overwonnen en het diertje uit zijn lijden verlost. Toen ik dat gedaan had werd ik opeens overvallen door een verschrikkelijke angst. Van het ene op het andere moment was het leven uit het dier verdwenen. We zijn net zo kwetsbaar en als er echt oorlog komt, wat gebeurt er dan met mijn familie en mij? Oom en tante zijn niet voor niets zo zenuwachtig.

12 augustus 1939. De oorlog komt echt dichterbij. Je merkt het zelfs in ons dorp. Vanochtend heeft Lex' moeder meneer en mevrouw Van Grinsven gewaarschuwd voor ons. Peter heeft het me verteld. Wij wonen hier al zo lang zonder problemen. We mochten zelfs naar de katholieke lagere school, met speciale toestemming, dat wel. Nu zijn we opeens Joden voor wie je op moet passen. Ik hoop maar dat Lex zich niet laat ompraten door zijn ouders. Als ik bij hem in de buurt ben, voel ik me heel licht en warm. Dat heb ik nodig om al die andere ellende te verdragen.

10 mei 1940. Deze datum komt later in de geschiedenisboekjes, dat weet ik zeker. Er is gebeurd waar iedereen al een hele tijd bang voor is. De Duitsers zijn ons land binnengevallen. Mijn oom en tante hebben bij de eerste berichten hun spullen gepakt en proberen nog in Engeland te komen voor de Duitsers hier zijn. Het is zo moeilijk om te weten of ze overdrijven of niet. In elk geval blijven wij.

Lex stond te kijken toen de auto werd ingepakt. Ik schaamde me een beetje voor mijn betraande ogen, maar hij was lief als altijd. Ik heb de stoute schoenen aangetrokken en mijn arm door de zijne gestoken. Het is zo'n heerlijk gevoel om dicht bij hem te zijn. En toen kwam het allermooiste. Hij zei dat hij bang was dat wij ook weg zullen gaan. Gek eigenlijk, dat je het ene moment kunt huilen van verdriet en het andere moment heel gelukkig kunt zijn.

11 mei 1940. Door de verhalen die ik thuis heb gehoord denk ik dat alle Duitsers grote blonde sadisten zijn. Ik weet nu dat

het in het echt niet zo is. In de tuin van Peter werd een Duitse soldaat neergeschoten. Ik durfde tot vlak bij hem te komen en zag een bange jongen. Zijn wonden zijn door de moeder van Lex verzorgd en zij zegt dat hij binnen een paar weken weer de oude is. Wat een gekke vrouw eigenlijk. Als ik Peter mag geloven is ze een echte aanhanger van Mussert, maar tegen mij is ze altijd heel vriendelijk. Lex is echt stoer. Hij hielp gewoon mee om die soldaat naar binnen te brengen en assisteerde ook zijn moeder bij het verwijderen van de kogels. Gelukkig werd ik weggestuurd.

1 september 1941. Mijn oom en tante en hun kinderen zijn afgevoerd naar Polen! De brief van de kampcommandant in Westerbork bevestigde waar we al bang voor waren. Natuurlijk hebben ze Engeland niet kunnen bereiken en toen eenmaal duidelijk was dat het gevluchte Duitse Joden waren, waren ze niet meer te redden. Een ongeluk komt nooit alleen zeggen ze. Nou, vandaag klopt dat. Op school kregen we te horen dat Joodse kinderen naar een aparte school moeten. Elke keer als we zo apart gezet worden, slaat me de schrik om het hart. Simon is zo woedend dat hij zichzelf apart zet. De stomkop wil niet meer met Peter en Lex samen op fietsen. Alsof het allemaal hun schuld is! Ik geniet van mijn twee keer een half uur met Lex. Ik hoop maar dat ik dat niet al te duidelijk laat merken.

1 mei 1942. Zo, nu ben ik een gediplomeerde Jodin en iedereen kan het aan me zien. 'Jood' staat er op een ster op mijn borst. Nou ja, als jongens nu naar me kijken, kan ik mezelf wijsmaken dat ze naar dat stomme ding kijken. Alle gekheid op een stokje. Ik kan er niet van slapen! Er zijn al veel dingen die voor ons Joden verboden zijn. Daar had ik niet zo veel moeite mee. Nu moeten we opeens een ster op onze kleren gaan dragen.

Dat is de druppel voor mijn zenuwen. Waarom moet iedereen kunnen zien dat mijn voorouders Joods waren? Ik voel me opeens heel kwetsbaar. Iedere Duitser weet met een oogopslag dat ik zo'n minderwaardig wezen ben.

Vanmiddag hebben we trouwens gezien dat er op de hei iets gebouwd gaat worden. Het zal wel aan mij liggen, maar ik heb er bange voorgevoelens over.

25 december 1942. We hebben Kerstmis gevierd bij meneer en mevrouw Van Grinsven. Het was zo gezellig! Eindelijk zag ik mama weer eens lachen. Ze had zelfs de spullen bij elkaar gekregen om weer eens te bakken. En Lex was er ook. Jammer genoeg moest hij voor het eten naar huis. Ik zag aan zijn gezicht dat hij liever bij mij was gebleven. Of zou ik me dat inbeelden?

13 januari 1943. Alles is verloren! Vanmorgen is de eerste groep gevangenen van het nieuwe kamp aangekomen. Ik was toevallig bij het station en heb het gezien. Het waren bijna allemaal mensen met een ster op de borst en ze zagen eruit alsof ze al weken niet meer gegeten hadden. Ze sjouwden hun spullen met zich mee en sommigen hadden dekens omgeslagen om het nog een beetje warm te krijgen. Ik dacht dat ik flauw zou vallen en ben toen snel weggegaan. Thuis durfde ik niet te vertellen wat ik had gezien. Ik zei dat ik me niet lekker voelde en ben op bed gaan liggen. Mijn voorspelling komt uit. Het kamp is er om Joden in op te sluiten.

25 april 1943. Het is mislukt. We hebben ons wekenlang schuilgehouden in ons eigen huis en ons dood verveeld. Nou, vandaag is het gedaan met de verveling. Er werd op de deur gebonsd en even later vloog de voordeur door de gang. De vader van Lex leidde de operatie en deed net alsof hij ons niet kende. Ik heb hem ook genegeerd en geen moment laten zien dat ik bang was. Het kamp is nog veel erger dan ik dacht. Wat een vreselijke toestanden. Het is er vies, je kunt nergens alleen zijn (zelfs niet als je je wast!) en het eten is zo smerig dat bijna iedereen er ziek van wordt. Papa zegt dat hij de bewakers op de torens Nederlands heeft horen praten. Het zijn dus Nederlandse SS'ers. Dat is toch niet te geloven.

5 mei 1943. Ik heb een nieuwe vriendin. Margriet heet ze. Ze zit hier omdat ze mee heeft gedaan aan het verspreiden van verboden krantjes. Ja, behalve Joden zitten hier ook mensen uit het verzet. Margriet is altijd opgewekt en laat zich niet bang maken door de SS. Ze lacht ze achter hun rug uit als ze zich stoer gedragen. En ik hoor haar nooit klagen. Ze zegt dat ze deze prijs graag betaalt voor haar overtuiging. Waarom zijn niet alle Nederlanders zo? Als ik bang ben, zoek ik haar op.

5 juni 1943. Ik ben niet alleen een Jodin, ik ben ook een kind. En die combinatie zorgt ervoor dat ik morgen of overmorgen naar een speciaal kinderkamp ga. Zeggen de Duitsers. Maar waarom is iedereen dan zo bang en in de war? Volgens Margriet gaan we naar Westerbork. Wat er daarna gebeurt weet ze ook niet. In elk geval wil ze het niet zeggen. Nu moet ik mijn spullen gaan pakken. Het bangste ben ik dat vreemden mijn dagboek vinden. Niemand hoeft te weten wat ik daarin geschreven heb. Alleen Lex. Daarom heb ik Günther gevraagd mijn koffer met het dagboek te bezorgen bij de familie Van Grinsven. Die zorgen wel dat Lex het krijgt. Hij gaat dit dus lezen. IK WAARSCHUW JE, LIEVE LEX, ALS IK TERUGKOM GA IK MET JE TROUWEN.

DE BEVRIJDINGSLEGERS ZIJN OP KOMST!
HET VERZET NADERT THANS ZIJN HOOGTEPUNT!

In honderd dagen hebben de geallieerde bevrijdingslegers Frankrijk en België aan de Duitschers ontrukt. Daarbij werden 500.000 Duitschers gevangen genomen, terwijl er 300.000 sneuvelden. De onoverwinnelijke Wehrmacht moest zich hals over kop uit de voeten maken, daar onze Bondgenooten niet alleen in de meerderheid waren, maar over een verpletterende overmacht beschikten, waartegen de Duitsche legers in geen enkel opzicht opgewassen bleken te zijn.

Met deze verpletterende overmacht is thans Eisenhower ook ons land binnengerukt. Sinds Zondag j.l. daveren duizenden tanks, tienduizenden gepantserde auto's en lange stoeten licht en zwaar geschut door het Noordbrabantse landschap.

Het Parool. Bulletin van 19 September 1944.

Midden oktober 1944

De zolder van Peters huis was helemaal verdonkerd. Alhoewel het midden op de dag was, zorgde alleen de kleine olielamp voor verlichting. Lex, Peter en meneer Van Grinsven hoefden ook niets te zien. Ze zaten hier om te luisteren. Het enige dat ze wilden zien was de geïmproviseerde radio. Radio Oranje was streng verboden, maar net als vele anderen volgde Peters vader de vorderingen van de geallieerde troepen van dag tot dag.

'De Amerikaanse en Canadese troepen trekken snel op in de zuidelijke provincies van ons land. Duitsers slaan overal op de vlucht en de bevrijding van ons gehele land is slechts een kwestie van tijd.' De ontvangst was slecht en de stem van de omroeper klonk nodeloos gewichtig, maar de boodschap was duidelijk. Het was aftellen nu.

'Ik kan niet wachten,' zei Peter. 'De gedachte dat we weer de baas zullen zijn in ons eigen land...'

Zijn vader draaide het volume van de radio omlaag. 'We zullen toch nog even geduld moeten hebben. De Duitsers hebben bij Den Bosch een sterke troepenmacht samengetrokken en willen nog niet opgeven. Misschien dat wij voor de winter bevrijd zullen zijn, maar de rest van het land...' Hij zuchtte. 'Voor die arme drommels wacht een lange winter.'

'Zijn er nog Duitsers in Vught?' vroeg Lex. 'Ik heb al in dagen geen soldaat meer gezien.'

'Ze lijken vertrokken,' zei Peters vader, 'maar er zijn nog overal Duitsers die zich verborgen hebben in huizen om de geallieerden op te wachten.'

'Het kamp hebben ze toch echt verlaten.' Lex waagde zich tegenwoordig dicht bij de afrastering en had er al dagen geen teken van leven meer gezien.

'Dat klopt.' Van Grinsven draaide de olielamp uit en deed het dakraam open om frisse lucht binnen te laten. 'De Duitsers wilden daar niet met gevangenen aangetroffen worden. Ze hebben iedereen weggestuurd, sommigen gewoon naar huis, en hebben het kamp overgedragen aan een Wit-Gele Kruiszuster, maar in de praktijk zijn het de leden van het verzet die er de touwtjes in handen hebben.'

Lex verbaasde zich er niet eens meer over dat Peters vader van alles op de hoogte was. 'Bent u er al geweest?'

'Ja.'

Het klonk zo kortaf dat Lex ervan schrok.

'Het is een verschrikkelijke plek,' zei Peters vader na een tijdje. 'Het ergste is dat ik er vanavond weer heen ga. Ik moet foto's nemen van de situatie zoals de Duitsers die achterlieten.'

'Mogen wij met u mee?' Lex had het gevraagd zonder na te denken. Dit was de kans om te zien waar Roos gevangen had gezeten.

Van Grinsven aarzelde maar even. 'Ja, het is goed dat jullie dit ook zien. Zo jong zijn jullie niet meer, maar ik waarschuw je, wat je te zien krijgt is afschuwelijk.'

'Maar we zijn toch nog steeds bezet?' Peter was niet iemand die nodeloos risico's liep.

'Officieel wel, maar het is nu een kwestie van weken, misschien zelfs dagen voor de geallieerden hier zijn. Als je liever hier blijft...'

'Nee hoor, we gaan mee. Waarom wilt u foto's maken?' vroeg Peter.

'Ik wil foto's maken voor de rechtbanken die na de oorlog de bewakers van dit kamp zullen berechten. Reken maar dat die schoften ter verantwoording zullen worden geroepen. Dan hebben we bewijsmateriaal nodig.'

'Alleen de bewakers?' vroeg Lex. Hij dacht aan zijn vader.

Peters vader schudde zijn hoofd. 'Ook de mensen die de transporten mogelijk hebben gemaakt. Je zou toch niet anders willen?'

Nu schudde Lex zijn hoofd.

Het was een mooie avond, maar de aanblik van het kamp zorgde voor de sfeer van een donkere novemberavond. De wachttorens staken donker af tegen de ondergaande zon en het prikkeldraad reflecteerde dreigend het licht. Bij de poort stonden twee gewapende mannen met een rode band om hun arm. Ze salueerden zonder iets te zeggen naar Peters vader en openden de poort voor hen. Er hing een onwezenlijke stilte in het kamp. De eerste indruk viel mee. Aan hun linkerhand zagen ze een paar goed onderhouden gebouwen.

'Hier woonden de SS'ers,' zei Peters vader. 'De gevangenen zaten rechts.'

Achter het lege terrein bij de ingang keken ze aan tegen drie rijen barakken. Ze liepen er zwijgend tussendoor. Erachter lagen zover als ze konden kijken nog meer barakken, nu in de andere richting gebouwd.

Peters vader maakte van elk gebouw foto's.

'Moeten we niet ook binnen kijken?' vroeg Lex met bevende stem. Sinds ze bij het kamp waren moest hij de grootste moeite doen om zijn zenuwen in bedwang te houden. Dit was waar Roos gewoond had. Toen moest het hier een drukte van belang zijn geweest. Volgens Peters vader hadden hier meer dan 30.000 gevangenen gezeten.

Van Grinsven zuchtte. 'Dat zal wel moeten.' Hij gaf zelf het voorbeeld en liep de eerste de beste barak binnen.

Peter en Lex volgden. Het was binnen half duister. Voor ze iets konden zien kwam hun een allesoverheersende stank tegemoet. Ze bleven een paar minuten staan in de halfdonkere gang om hun ogen te laten wennen. De eerste deur aan de linkerkant was de toegang tot een toiletruimte. Als op bevel sloegen ze alle drie een hand voor hun neus. Ze wisten nu wel waar de stank vandaan kwam. Twee rijen van elk vijf ongelooflijk smerige toiletpotten stonden in de open ruimte. Lex schrok van het plotselinge licht toen Van Grinsven een foto van de ruimte maakte. Hij vluchtte snel weg uit de kamer. Ernaast was een wasruimte. Er stonden grote aaneengesloten wasbakken. Ook hier geen spoor van een afscheiding. Privacy was een luxe waarin het kamp niet voorzag.

'Moet je dit zien!' riep Peter. Hij was de deur aan de overkant van de gang binnengegaan. Dit was een enorme zaal met in de hele lengte rijen met ijzeren bedden, drie lagen hoog.

Zo had Roos dus geslapen, met tientallen mensen samen in één bedompte ruimte. Hier was ze naar het toilet gegaan en had ze zich moeten wassen. In haar brieven had ze er nauwelijks over geschreven. Ja, dat ze het al snel gewoon was gaan vinden. Hoe was het mogelijk dat iemand hier ooit aan kon wennen? Lex was blij dat ook hier het buitenlicht maar spaarzaam doordrong. Tranen liepen over zijn wangen, hoe hij ook zijn best deed ze binnen te houden.

Hij was als eerste buiten en ademde gretig de frisse lucht in, maar het was alsof de stank van de barak zich in zijn neus had vastgezet.

Peters vader kwam ook met roodomrande ogen naar buiten. 'Ik weet niet wat ik moet zeggen,' zei hij. 'Hier zijn geen woorden voor. Maar het staat wel op de foto's.'

Alle barakken leken op elkaar. Van Grinsven hield uiteindelijk op met foto's maken. Hij gebruikte zijn fototoestel pas weer toen een grimmig uitziend gebouw tussen de barakken zichtbaar werd. 'Dit is de bunker,' zei hij nauwelijks hoorbaar. 'Wie hier gevangen werd gezet...'

Hij maakte zijn zin niet af, want toen ze de laatste barakken passeerden, stonden ze weer op een leeg terrein. Alleen in de rechterhoek, tegen de omheining aan, lag nog een stenen gebouw.

Lex en Peter zagen het aanvankelijk niet eens. De galg naast het gebouw trok alle aandacht naar zich toe. Ze bleven automatisch staan.

Van Grinsven wees op de asresten die langs het gebouw lagen. 'Dit moet het crematorium zijn,' zei hij.

Peter liep als eerste naar binnen. Hij was nauwelijks in de deur verdwenen of hij rende weer naar buiten.

Zijn vader keek verschrikt op, maar ging toch naar binnen. 'Je hoeft niet mee te gaan, Lex.'

Lex aarzelde hooguit een paar seconden. Er hadden hier mensen gevangengezeten. Die moesten leven met de angst hier opgehangen te worden en daarna in het crematorium verbrand te worden. Dan moest hij toch wel de moed kunnen opbrengen alles te bekijken?

In dit gebouw hing een zoetige geur vermengd met brandlucht. Ook hier was het licht spaarzaam. Hij zag twee stenen ovens met ijzeren deuren. Er stak een ijzeren slede met twee handvatten uit. Zo werden de lichamen in de oven geschoven. Lex had de grootste moeite van zijn plaats te komen. Zijn hele lichaam voelde opeens koud en stijf aan.

Peters vader had de eerste schrik overwonnen en nam foto's van de gruwelijke plek. 'Vergeet dit nooit, jongen,' zei hij. 'Vergeet dit nooit.'

Op weg naar huis zeiden ze weinig. Wat ze gezien hadden, had hen met stomheid geslagen. Voor Lex was het nog het ergst. Zijn Roos was een van de gevangenen geweest.

'Wat ik niet begrijp,' zei Lex opeens, 'is hoe zoiets kan gebeuren. Hoe is het toch mogelijk dat heel normale mensen monsters worden die andere mensen als afval behandelen? Zelfs mijn ouders zijn in de val gelopen.'

'Dat is de voornaamste vraag voor de komende tijd,' zei Van Grinsven. 'Als we het antwoord vinden, heeft deze ellendige oorlog nog iets goeds voortgebracht.

'O gelukkig, jullie zijn er.' Peters moeder wachtte hen voor de deur op. 'Simon is helemaal doorgedraaid. Toen hij hoorde dat jullie naar het kamp gingen, wilde hij niet meer op zolder blijven. Hij zei dat als de Duitsers weg waren, de tijd voor afrekening nu gekomen was.'

Lex was zo verbaasd de naam Simon hier te horen dat hij pas merkte dat Peters vader naar boven was gestormd toen die weer naar beneden kwam.

'Hij heeft mijn pistool meegenomen! Welke kant ging hij op?'

Zijn vrouw wees richting kerk.

'O, nee toch.' Van Grinsven rende het huis uit.

Lex en Peter volgden automatisch. Pas bij het passeren van de kerk realiseerde Lex zich waar Simon waarschijnlijk naartoe wilde. Het huis van zijn ouders!

De voordeur stond open. In de deur van de woonkamer bleven ze staan. Ze troffen het tafereel aan waar ze alle drie bang voor waren. Simon stond met een pistool in zijn hand en hield Lex' vader en moeder onder schot. Ze zaten naast elkaar aan tafel en hielden elkaars hand vast. Maar wat een verschil. Lex' moeder keek Simon ernstig aan, en maakte de indruk rustiger te zijn dan het afgelopen jaar. Eindelijk werd ze ter verantwoording geroepen voor haar ideeën. Nu kon ze het schuldgevoel kwijtraken. Lex zag dat zijn vader daarentegen volkomen in paniek was. Hij moest al dagen hebben geweten dat iets dergelijks zou gebeuren. Nu zijn beschermers weg waren, was hij loslopend wild. Zijn ogen waren rood doorlopen en de zweetdruppels stonden op zijn voorhoofd.

'Simon, wat doe je?' riep Van Grinsven.

Simon bleef naar Lex' ouders kijken. 'Deze schoft heeft Roos en mijn ouders naar het kamp gestuurd en moet nu de rekening betalen.'

Hij was een stuk groter dan Lex zich herinnerde en toch droeg hij kleren die eigenlijk te groot waren. Als Lex zich niet vergiste had hij Peters vader ooit in die broek zien lopen. Omdat ook Simons haren over zijn oren hingen maakte hij een sjofele indruk. Maar zijn gezicht stond vastberaden. Met deze Simon moest je niet spotten. Hij had zijn haat jarenlang zorgvuldig opgebouwd.

Peters vader stapte de kamer binnen. 'Ik heb je niet voor niets twee jaar in mijn huis opgenomen! Doe nu niet zo stom.'

'Blijf daar staan,' zei Simon rustig. 'U bent wel de laatste die ik iets wil aandoen.' Toen richtte hij zich weer naar Lex' ouders. 'Ik heb nog steeds geen antwoord op mijn vraag. Waarom moest mijn familie naar een kamp?'

'Ze hebben niets misdaan, jongen. Het was één grote vergissing.' Lex' moeder praatte rustig en duidelijk.

'Ik wil het van uw man horen. Hij heeft er echt aan meegeholpen.'

Lex' vader keek wanhopig van de een naar de ander. 'Het was gewoon een bevel,' zei hij ten slotte. 'Ik heb persoonlijk niets tegen jouw familie. In het begin had ik ook geen idee wat er zich in dat kamp afspeelde. Als ik dat had geweten...'

Simon snoof. 'Wat ben je toch een slappeling. Als je nou ten minste nog achter je ideeën stond, maar nee, meneer verschuilt zich achter de bevelen van anderen. Heb je zelf geen geweten?'

'Simon, dit heeft lang genoeg geduurd. Je ziet dat die man het niet waard is om je toekomst voor te riskeren. Laat hem nu maar, hij zal berecht worden door mensen die daarvoor aangesteld zijn en ontloopt zijn straf niet.' De stem van Peters vader klonk bezwerend.

Lex zag Simons aarzeling. Toen maakte de woede op Simons gezicht plaats voor verdriet. 'U heeft gelijk. Deze man is nog geen kogel waard.' Opeens stroomden de tranen over zijn wangen. 'Maar u begrijpt toch wel...'

'Ja, jongen, dat begrijp ik maar al te goed.'

Zonder nog iets te zeggen gaf Simon het pistool aan Van Grinsven en liep naar buiten.

Van Grinsven stak het wapen in zijn zak. 'Dat is goed afgelopen,' zei hij tegen Lex' vader. 'Maar er zijn meer mensen die hun woede op u willen afreageren. Alleen al voor uw eigen veiligheid zullen zo dadelijk een paar van mijn mannen komen en u meenemen naar het kamp. Daar bent u veilig tot uw proces.'

'En wat gebeurt er met mij?' vroeg Lex' moeder.

Van Grinsven keek haar aan. 'Niets, mevrouw. Voor zover ik kan nagaan heeft u misschien verkeerde dingen gedacht, maar niets gedaan waarvoor u vervolgd kunt worden. Kijk, dat is nu het verschil tussen uw vroegere vrienden en ons.'

De opluchting op het gezicht van Lex' vader was duidelijk zichtbaar toen Simon zijn pistool inleverde. Hij keek zijn zoon smekend aan. 'Lex, is het niet tijd dat we...'

'Ik dacht het niet,' zei Lex. Hij draaide zich om en liep weg.

Simon stond in de voortuin tegen het hek geleund. Zijn gezicht was zo grauw dat Lex bang was dat hij flauw zou vallen. 'Gaat het?' vroeg hij.

Simon keek hem verbaasd aan. 'Ja hoor, ik ben alleen zo ontzettend moe. Eerst voelde ik alleen woede, maar nu... Al mijn energie is in boosheid op je vader gaan zitten.'

'Niet dat het er veel toe doet,' zei Lex, 'maar mijn vader heeft jullie niet verraden...'

Opeens was die woedende blik er weer in Simons ogen. 'Ga je die schoft nog verdedigen ook?'

'Absoluut niet, maar jullie zijn door iemand anders aangegeven en toen moest mijn vader wel meedoen. Ik heb het briefje zelf gezien.'

Simon snoof. 'Ik had ook kunnen bedenken dat hij zelf niet tot actie was overgegaan. Die pa van jou luistert alleen maar naar bevelen van anderen.'

'Helaas wel,' zei Lex toonloos.

'Het is zo onrechtvaardig,' zei Simon. 'Als die inval 24 uur later was gekomen, hadden de Duitsers niemand gevonden. Ik was al bezig om bij Peter op zolder ruimte te maken voor ons vieren. Die nacht zouden vader, moeder en Roos ook komen. Ze waren hun koffers aan het pakken toen jouw vader en zijn mannen aanklopten. Wat is nu 24 uur? Dan waren we nu nog samen geweest.'

'Je moet nu alleen wat langer wachten,' zei Lex. 'Ze komen vast terug als de Duitsers verslagen zijn.'

Er mocht niets met Roos gebeurd zijn!

DE NEDERLANDSCHE REGEERING TAST KRACHTIG DOOR.

De vele misdrijven die in den loop van dezen oorlog in ons land door Nederlanders zijn bedreven, zullen na de verdrijving van de Duitschers op snelle en uiterst gestrenge wijze berecht worden. De voorbereidende maatregelen voor deze berechting zijn in Engeland door de Nederlandsche Regeering getroffen en de bijzonderheden, die de minister van justitie hierover den laatsten tijd heeft meegedeeld, hebben ons de zekerheid gegeven, dat men er in Londen diep van doordrongen is, dat radicaal en forsch ingegrepen moet worden ter bestraffing van het onrecht en de misdaden, die tijdens den bezettingstijd in ons land begaan zijn.

Het Parool. Bulletin van 12 Oktober 1944.

27 oktober 1944

De gevechten rond Den Bosch en Vught bezorgden Lex en zijn vrienden nog angstige dagen. Ja, de bevrijding stond voor de deur, maar hoe zouden de gevechten hier verlopen? En toen waren er opeens de geallieerde troepen. Lex, Peter en Simon zaten op de zolder bij Van Grinsven. De radio hadden ze niet nodig. Het nieuws voltrok zich voor hun ogen. De geallieerden kwamen uit Eindhoven en vochten zich een weg door het dorp. Zij gingen van straat naar straat. Nadat zij op 27 oktober het sein hadden gegeven dat het veilig was, reden geallieerde voertuigen de straten binnen. Meteen barstte een volksfeest los. Iedereen stroomde naar buiten. De Nederlandse driekleur hing uit veel ramen en de Canadezen werden toegejuicht. Lex, Peter en Simon stonden langs de straat en vierden mee. Zij waren minder uitbundig. Simon wist niet hoe het zijn familie was vergaan. Waar waren ze terechtgekomen? Waren ze nog in leven? Voor Lex was het moeilijk te verdragen dat Roos hier niet bij hem was om de overwinning op de Duitsers te vieren. Ergens, in een klein hoekje van zijn hoofd waar hij eigenlijk niet wilde zijn, was de angst dat ze nooit meer terug zou komen. En Peter had dingen meegemaakt de afgelopen jaren die hem stiller hadden gemaakt. Na deze oorlog was hij geen kind meer. Toch lachten ze naar de langstrekkende soldaten die sigaretten en chocolade uitdeelden. Op de gezichten van soldaten zag Lex dat ook zij opgelucht waren. Voor hen was er even een pauze in de gevechten.

'Is je moeder helemaal alleen?' vroeg Peter opeens. 'Dit is geen makkelijke dag voor haar.' Hij keek Lex vragend aan. 'Moet je niet bij haar zijn?'

'Je hebt gelijk.' Lex verliet met tegenzin de feestelijkheden.

Thuis zou hij weer gevangen worden in de sombere, onzekere sfeer die daar al weken hing. Zijn vader zat in een van de barakken waarin hij zelf kortgeleden nog mede-Nederlanders had opgesloten. De ineenstorting van Hitlers rijk zorgde bij zijn moeder voor tegenstrijdige gevoelens. Avond aan avond praatte ze met hem alsof hij een volwassene was. Ze moest kwijt wat er allemaal in haar hoofd spookte. Ja, ze had gelukkig op tijd het ware gezicht van de nazi's gezien, maar met Duitsland was ook haar hoop op een Nederland onder Mussert ten onder gegaan. Lex kon zich daar niets bij voorstellen, maar liet haar rustig praten.

Op het einde van die gesprekken kwam Lex' vader altijd ter sprake. 'Is het mogelijk dat hij de doodstraf krijgt voor zijn samenwerking met de bezetter?' vroeg ze dan.

'Ik weet het niet, mam,' zei Lex. Dat klopte. Hij wist niet eens of hij er bang voor was...

De straten waren verlaten. Iedereen begroette de bevrijders. Lex was dan ook verbaasd toen hij het opstootje voor hun huis zag. Een groep joelende mensen stond in een kring op het trottoir. Hij ging automatisch sneller lopen. Vlak voor hij kon zien wat er gebeurde, voelde hij een arm op de zijne. Peters vader keek hem bezorgd aan. Hij droeg nu een band om zijn arm en een geweer over zijn schouder. Nu de Duitsers weg waren mocht iedereen zien dat hij een hoofdrol had gespeeld in het verzet.

'Wat is er?' vroeg Lex.

Van Grinsven aarzelde. 'Ze moeten je moeder hebben,' zei hij ten slotte.

Lex wilde zich losrukken, maar Van Grinsven was sterker. 'Dit moeten we laten gebeuren om erger te voorkomen,' zei hij. 'Bij de bevrijding komt ook alle woede vrij die jarenlang is onderdrukt. Ik grijp alleen in als ze te ver gaan.'

Ze waren inmiddels dichtbij genoeg om te zien wat er gebeurde. Lex' moeder zat op een stoel op straat. Lex herkende een van hun keukenstoelen. Twee mannen hielden zijn moeders armen vast en een vrouw met een vuurrood gezicht knipte in het wilde weg met een schaar. De toeschouwers scholden en joelden met stralende gezichten.

Lex zag tot zijn verbazing dat zijn moeder er niet bang uitzag en onbeweeglijk bleef zitten. Zelfs als die mannen haar hadden losgelaten, zou ze niet wegvluchten. Dit was de straf die ze moest ondergaan. Hierna zou ze opnieuw kunnen beginnen.

'Zo, smerige moffenhoer, nu kan iedereen zien hoe fout je bent geweest,' zei de knippende vrouw met een tevreden gezicht.

Lex' moeder knikte. Hier en daar stond nog een pluk haren op haar hoofd, maar het grootste deel was kaal. Op twee plaatsen had de schaar haar huid geraakt. Druppels bloed kleurden haar kale hoofd rood.

Nu het slachtoffer zo rustig bleef, was de lol er snel af, zag Lex. Het werd langzaam stiller in de groep en al snel liepen de eersten weg. Vijf minuten later zat Lex' moeder nog steeds op haar stoel, maar nu waren alleen Van Grinsven en Lex bij haar.

Lex pakte haar bij een arm. 'Kom, we gaan naar binnen,' zei hij zacht. 'Die schoften zijn weg.'

Van Grinsven droeg de stoel achter hen aan. Binnen zakte hij met een vermoeid gezicht in de stoel die altijd van Lex' vader was geweest. 'Ik moet u mijn excuses aanbieden, mevrouw. Mijn mannen en ik hebben onze levens niet geriskeerd voor dit soort vertoningen. Al die lui van daarnet hebben vier jaar lang geen vinger uitgestoken en willen nu opeens de held uithangen. We hebben het bevel alleen in te grijpen als mensen echt gevaar lopen. Dat was nu niet zo. Het is heel vernederend en pijnlijk, maar die haren groeien wel weer aan. Als ik mijn geweer had gebruikt om die groep uit elkaar te drijven, waren er misschien wel slachtoffers gevallen.'

'Ach, het is al goed,' zei Lex' moeder. 'Wilt u misschien een kop koffie of thee?'

Ondanks alles schoot Lex in de lach. 'Koffie? Je bent weer helemaal de oude, mam. Je zou nu eigenlijk geschokt in je stoel moeten zitten huilen. En jij hangt hier de oerdegelijke Hollandse huisvrouw uit.'

Zijn moeder glimlachte wat verlegen. 'De mensen die me zo-even te grazen hebben genomen, neem ik niet serieus. Toen ik zelf bedacht welke fouten ik had gemaakt, heb ik mezelf veel harder gestraft dan zij ooit zouden kunnen doen.'

Na de oorlog...

Na de oorlog begon het lange wachten. Er sijpelden steeds meer verhalen door over wat de Joden was aangedaan in de Duitse vernietigingskampen. Al snel kwamen de eerste gevangenen terug, berooid, uitgehongerd en gedesillusioneerd. Sommigen brachten het zelfs op te vertellen wat ze hadden meegemaakt. Het ongelooflijke bleek waar. Een golf van ontzetting ging door het land.

Lex is jarenlang blijven hopen dat Roos alsnog terug zou komen. Dat is niet gebeurd. Het spoor loopt dood in Westerbork. Van daaruit is ze naar het concentratiekamp Sobibor vervoerd en waarschijnlijk direct na aankomst vergast. Haar vader zat in dezelfde trein en hij heeft hetzelfde lot ondergaan. Mevrouw De Vries hoorde bij de laatsten die uit Kamp Vught getransporteerd werden, samen met haar collega's van het Philips-kommando. Zij heeft de oorlog overleefd en is na de bevrijding van Auschwitz naar Nederland teruggekeerd. Ze is de familie Van Grinsven haar leven lang dankbaar gebleven voor het in huis nemen van Simon. En Van Grinsven en zijn vrouw hebben het steeds betreurd dat ze de familie De Vries niet eerder in huis hadden genomen. De afspraak was al gemaakt toen ze samen Kerstmis vierden. Het leek er toen op dat ze nog alle tijd hadden. Wie had nu kunnen voorspellen dat die verrader het plan op het laatste nippertje zou verstoren?

Lex' vader werd in 1947 tot vijf jaar gevangenis veroordeeld en kwam in 1949 vrij. Zijn vrouw had zich inmiddels van hem laten scheiden. Zij en Lex zijn in Vught blijven wonen. Lex is nooit getrouwd. Als iemand hem ernaar vroeg zei hij dat zijn vrouw door de Duitsers vermoord was.

Meneer Van Grinsven had in de oorlog gedaan wat hij zich bij de inval van 10 mei 1940 had voorgenomen, zijn plicht. Na de oorlog legde hij de wapens neer en was hij wars van alle politiek.

Lex, zijn moeder, Peter en zijn ouders, mevrouw De Vries en Simon kwamen elk jaar samen op de avond van 4 mei om de slachtoffers van de oorlog te herdenken. Nu zijn alleen Lex en Simon nog in leven. Ze gaan elk jaar een paar keer samen naar het kindermonument in Kamp Vught. Dat staat er ook voor hun vriendin en zus.

Vergeten oorlog
Schrijvers van de Ronde Tafel

Abeba, Gien-guo, Rýs, Jeffrey, Hamid, Irina, Marja, Yakoub, Zvjezdana en Lily.
Wat betekende de Tweede Wereldoorlog voor deze tien kinderen?

Lees en ontdek zelf:

- Hoe het is om afscheid te moeten nemen van je beste vriend,
  omdat hij een Duitser is.
- Of je op een dieet van slakken en een beetje rijst het misschien
  net tot het einde van de oorlog kunt redden in een jappenkamp.
- Hoe alleen je je voelt als je niet weet of je je vrienden nog kunt vertrouwen.
- Of je in een ijskoude winter in het bos kunt overleven terwijl de
  vijand overal om je heen oprukt.

In deze bundel staan tien verhalen over kinderen die de Tweede Wereldoorlog
meemaakten in hun eigen land. De verhalen spelen zich af in: Ethiopië, China,
Polen, Suriname, Irak, Rusland, de Nederlandse Antillen, Marokko, Kroatië
en Nederlands-Indië.

Werken voor de vijand
Arend van Dam

Hoog in de lucht naderde een groep jachtvliegtuigen. Albert verstijfde. Hij zat hier toch wel veilig, in de cabine van zijn vrachtwagen? Hij keek naar de wagens voor hem. Die stopten plotseling. De chauffeurs sprongen een voor een uit hun cabines en lieten zich in de greppels langs de kant van de weg vallen. Albert bleef zitten. Hij omklemde zijn stuur...

Albert droomt ervan om vrachtwagenchauffeur te worden. Die droom komt uit, maar op een heel andere manier dan hij had gehoopt. Net als 500.000 andere jongens en mannen wordt hij gedwongen in Duitsland te gaan werken. Voor de vijand.

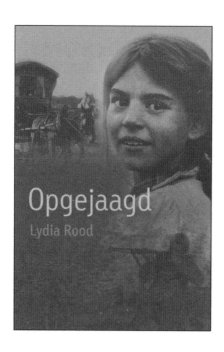

Opgejaagd
Lydia Rood

Maira woont met haar hele familie in woonwagens.
Maar het zwervend bestaan is niet makkelijk en de maatregelen van
de nazi's tegen hun volk worden steeds harder. Het gezin duikt onder
in een huis en Maira moet afscheid nemen van hun paardje.
En dan bonst op een ochtend de politie op de deur.

Drie dagen later, in Kamp Westerbork, stapt het gezin in de trein
die hen naar Auschwitz zal bregen. Deuren schuiven dicht,
grendels klappen naar beneden. Maar Maira is er niet bij.
Verstopt achter een barak ziet ze de trein vertrekken.
Zal ze haar moeder en haar zusjes ooit nog terugzien?

Het wordt vaak vergeten: niet alleen Joden werden in de
Tweede Wereldoorlog vervolgd, maar ook andere groepen.
Maira behoort tot de Sinti, die al eeuwen in familieverband
door West-Europa trokken. Net als de Roma uit Oost-Europa werden
de Sinti 'zigeuners' genoemd. Ook door de nazi's,
die hen lieten oppakken en naar de kampen in Polen stuurden.
Om te werken, zeiden ze...

Bommen op ons huis
Martine Letterie

'Vliegtuigen,' zegt Fien. 'Heel veel vliegtuigen.
Ik kan uit mijn raam alleen niet zien waar ze heen gaan.'
'Jij was op weg naar het dak,' begrijpt haar vader.
Hij haalt zijn hand door zijn haar. 'Ga maar vast. Ik kom zo.'

Fien is wakker geworden van de vliegtuigen. Het is oorlog!
Zij vindt het eerst vooral spannend, maar voor haar beste vriend en buurjongen
David ligt dat anders. Hij is Joods, en vijf jaar geleden met zijn vader uit
Duitsland naar Nederland gevlucht. Nu moet hij weer vluchten.
Naar een tante van Fien in Middelburg. Vier dagen later denkt Fien
heel anders over de oorlog. Bommen vallen op de stad Rotterdam en op haar huis.
Bijna alles raakt ze kwijt: haar huis, haar vader... Met een overspannen moeder
en haar kleine broertje vlucht ook zij naar Middelburg. Maar het is de vraag
of dat wel verstandig is!

In dit boek vertelt Martine Letterie over de eerste dagen van de oorlog in Rotterdam.
Het bombardement veranderde de stad voorgoed, en daarmee ook het leven van de
bewoners. Het doel werd bereikt: de Nederlandse regering capituleerde. Heel
Nederland... behalve Zeeland. Dat is een vergeten stuk van de Tweede Wereldoorlog,
net als het bombardement dat ná Rotterdam nog kwam: op Middelburg.